HERBERT REINECKER
ACHTER DE LAATSTE DEUR

KARWENNA

HERBERT REINECKER

ACHTER DE LAATSTE DEUR

DETECTIVE-ROMAN

Uitgeverij
De Vrijbuiter B.V.

CLASSICS

KARWENNA-PAPERBACK NR. 5

Uitgeverij De Vrijbuiter B.V., Noordstraat 79, 5038 EG Tilburg.
Distributie: Betapress B.V. - Tilburg.
Zetwerk: Van Geloven B.V. - Riel.

Deze uitgave is tot stand gekomen in samenwerking met Bastei-Verlag Gustav H. Lübbe, Scheidtbachstrasse 23-31, 5060 Bergisch Gladbach 2 en Freibeuter Verlag GmbH - Achen, Duitsland.
Printed in Western Germany.
Vormgeving omslag: Atelier Blaumeiser, München.
ISBN 90 6232 8113

De Thalkirchener Strasse.

Aan de ene kant van de straat een spoorwegterrein, aan de andere kant een rij huurhuizen. Nieuwe huizen met moderne gevels en oude huizen waaraan was te zien dat ze er al erg lang stonden.

Uit een van de oude huizen stapt een jong meisje naar buiten.

Het meisje is ongeveer achttien jaar oud, draagt een kort rood rokje en een witte blouse. Ze heeft een rode muts op haar blonde haar. Onder haar arm draagt het meisje een gitaar, die is verpakt in een grijsbruine hoes.

Het is ongeveer zes uur 's avonds en het is nog licht. Het zonlicht straalt schuin naar beneden en de schaduwen van de huizen vallen over de spoorbaan; er rijdt een trein door de blauwe schaduwen en de ruiten schitteren in het zonlicht.

Het meisje loopt enkele meters en gaat dan een poort in, die naar de binnenplaats leidt. Ze kijkt tegen de zon in en kan dan ook vrijwel niets zien als ze de kleine binnenplaats oploopt waar alleen maar garages en opslagplaatsen staan.

Het meisje loopt naar de kleine Morris en maakt de deur open.

Ze wil de gitaar op de achterbank leggen. Dan hoort ze een schot. De dreun dringt nauwelijks tot haar door; iedere gewaarwording veroorzaakt een felle pijn. Haar lichaam richt zich op en ze probeert nog vertwijfeld adem te halen, maar haar spieren weigeren nu elke dienst en het beeld voor haar ogen spat uiteen.

★

Een man op de eerste verdieping heeft het schot gehoord. Hij zal later het volgende verklaren: Ik wist direct dat het een schot was, een pistoolschot. Hij beriep zich daarbij op zijn ervaringen tijdens de oorlog.

De man snelde naar het raam en keek naar beneden op de binnenplaats.

Hij zag het meisje op de grond liggen.

Ze probeerde nog overeind te komen; ze stak haar armen omhoog en probeerde zich aan de geopende autodeur vast te pakken, maar de deur sloeg dicht en het meisje viel weer op de grond.

Haar rode rok stak fel af tegen het grijze asfalt van de binnenplaats.

Even na zes uur 's middags werd Karwenna van het voorval op de hoogte gesteld. Hij had zijn jas aangetrokken en riep Henk terug, die bij de deur stond.

"Wacht even, Henk," zei hij, "een moord in de Thalkirchener Strasse."

Henk liep langzaam terug, ging bij het bureau staan en luisterde naar de vragen die Karwenna stelde. Toen legde hij de hoorn op de haak.

"Moord?" vroeg Henk.

"Er is een jong meisje neergeschoten op de binnenplaats van een huis, juist op het moment dat zij in haar auto wilde stappen."

"De dader?"

"Niemand heeft iets gezien."

Karwenna telefoneerde. Hij liet zich doorverbinden met Wagner, Becker en Schönberger.

Er heerste op het bureau een zekere koortsachtige bedrijvigheid, net als altijd wanneer een dergelijke alarmmelding binnenkwam.

Henk belde dokter Schniewind op, terwijl Becker een ambulance alarmeerde. Tenslotte reden ze weg. Karwenna bestuurde de auto zelf en Henk zat naast hem.

"Neergeschoten?" vroeg Henk zich nogmaals verbaasd af. "Op klaarlichte dag?"

"Wat is daar zo vreemd aan?" wilde Karwenna weten.

Henk haalde zijn schouders op. "Volgens de statistieken worden jonge meisjes neergeslagen, gewurgd of neergeschoten, maar ze worden slechts zelden neergeschoten."

Karwenna dacht even na.

Henk had gelijk en hij herinnerde zich hoe hij zich had gevoeld,toen hij het nieuws via de telefoon vernam. Het was een onbehaaglijk gevoel geweest en zijn intuïtieve gevoelens stemden overeen met wat Henk had gezegd: het was uiterst ongewoon dat een jong meisje werd neergeschoten.

Karwenna reed diep in gedachten verzonken verder. Hij dacht na over het woord 'neerschieten'. Het woord duidde op opzet en een handeling met voorbedachte rade.

Zoals altijd kon Karwenna niet verhinderen dat zijn fantasie zich meester maakte van het voorval, waarvan hij nog niets afwist.

Er stonden verscheidene auto's voor het huis in de Thalkirchener Strasse. Agenten van enkel opgeroepen surveillancewagens hielden de nieuwsgierigen op een afstand, zodat de recherche ongehinderd de binnenplaats kon betreden.

De zon stond nu wat lager aan de hemel, maar een gedeelte van de binnenplaats baadde nog steeds in het zonlicht en de kleding van de dode stak fel af tegen het asfalt.

Karwenna nam de situatie in zich op.

De binnenplaats was ongeveer tachtig vierkante meter groot, niet meer en werd begrensd door een muur, een rij garages en aan de derde kant door een afdak, waaronder fietsen en vuilnisbakken stonden. Aan de vierde en laatste kant werd de binnenplaats begrensd door een huis, dat vier verdiepingen telde en waarvan nu alle ramen open-stonden.

Karwenna liep naar de dode toe.

Het eerste ondezoek liet hij altijd bewust aan Henk over. Henk had een hekel aan de routinewerkzaamheden, die moesten worden verricht wanneer er een lijk werd gevonden en deed het daarom zo vlug mogelijk. Karwenna bleef enigszins verstrooid terzijde staan, maar nam niettemin de plaats van het misdrijf oplettend in zich op.

Karwenna rookte niet of slechts zelden. Maar telkens wanneer hij werd geconfronteerd met een dode, wiens dood hij moest ophelderen, rookte hij. Hij greep dan automatisch naar het pakje sigaretten dat hij in zijn zak had. Hij nam een paar trekjes, gooide de nog niet half opgerookte sigaret op de grond en trapte het uit. Daarmee verjoeg hij het laatste spoortje van zijn verstrooidheid.

Henk wendde zich tot Karwenna. "De dode heet Carola Bork. Achttien jaar oud. Ze werd neergeschoten toen ze in haar auto wilde stappen. De kogel heeft haar in de rug getroffen."

Karwenna draaide zich om.

"Ja, de moordenaar moet daarginds onder het afdak bij de vuilnisemmer hebben gestaan."

Karwenna liep naar het afdak toe. Daar waren Becker en Wagner al bezig met het zoeken naar sporen.

"Je zou toch verwachten dat de huls hier ergens ligt", mompelde Wagner.

"Nee," antwoordde Karwenna, "die zul je niet vinden." Hij wees naar de achterwand, die bestond uit houten planken, die door ouderdom waren aangetast. Enkele planken waren van hun plaats verschoven, waardoor je door de openingen heen op een stuk braakliggend terrein kon kijken.

"De moordenaar heeft waarschijnlijk achter deze houten schutting gestaan en door een spleet geschoten."

Wagner trok zich aan de muur omhoog en keek uit over het erachter gelegen stuk grond. Het was onbebouwd, er groeide allerlei onkruid en het stond vol met bouwmaterialen, blokken

cement en stukken ijzer.
Becker klom op de muur, sprong er aan de andere kant weer af en kwam op het braakliggende terrein terecht.
Karwenna draaide zich om.
"Wat deed dat meisje in dit huis hier?" vroeg hij.
Henk wees naar een jongeman in versleten blue jeans, die naast de auto stond. "Ze kreeg gitaarles. Bij deze jongeman hier. Hij heet Winter."
Karwenna richtte zijn blik op de jongeman. Hij stond met zijn hoofd gebogen en afhangende schouders en het leek wel alsof hij over zijn hele lichaam beefde. Zijn huid was bleek en hij droeg zijn haar lang.
"Ja," zei Winter, "ze heeft sinds een paar weken gitaarles bij mij."
"Bent u musicus?"
"Ja, ik speel in een band."
"Bent u leraar?"
"Nee. Carola's vriend kwam naar me toe en vroeg of ik haar les wilde geven. Ze scheen talent te hebben."
"En had ze talent?"
"Ja, ze was erg muzikaal. Weet u, Carola wilde geen beroepsmusicus worden. Ze wilde alleen maar voor haarzelf en voor haar vrienden spelen."
"Hoe laat kwam ze vandaag bij u?"
De jongeman keek op zijn horloge. "Anderhalf uur geleden."
"Mogen we even bij u binnenkomen?" vroeg Karwenna.
De jongeman draaide zich zwijgend om. Het leek wel alsof het hem opluchtte deze plaats te kunnen verlaten. Hij had vermeden naar het slachtoffer te kijken en daardoor had hij een merkwaardig starre en passieve indruk gemaakt.
Winter woonde op de eerste verdieping.
Hij duwde de op een kier staande deur verder open.
"Neem me niet kwalijk, maar het ziet er bij mij niet zo geweldig uit."
Karwenna keek om zich heen.
De woning was klein en bestond uit één verdieping: twee kamers en een keukentje. Er stonden nauwelijks meubels in de

woonkamer, slechts enkele versleten fauteuils en een paar houten stoelen.

"Het is niet de moeite waard het in te richten", zei Winter. "Ik ben toch steeds weg. We gaan regelmatig op toernee en dan ben ik vaak een half jaar lang niet hier."

Karwenna keek naar de posters die aan de muur hingen: afbeeldingen van zangers, musici, wijdopen monden en glanzende, goudkleurige trompetten.

"U hebt een heel orkest aan de muur", zei Karwenna.

"Ja", antwoordde Winter en hij voegde eraan toe: "Dat is nu eenmaal de wereld waarin ik leef."

Karwenna sprak verder. Hij probeerde een indruk van de jongeman op te doen.

Het was duidelijk te merken dat hij zenuwachtig was.

De jongeman stak een sigaret op en begon naar een fles drank te zoeken. Hij hield op met zoeken toen hij bemerkte dat Karwenna hem stond op te nemen. Zachtjes zei hij: "Weet u, ik ben helemaal van de kaart. Ik beef als een rietje." En bijna smekend voegde hij eraan toe: "Ik hoop dat u er geen bezwaar tegen hebt dat ik wat drink."

"Ga uw gang maar," zei Karwenna, "ik kan me levendig voorstellen hoe u zich voelt."

"Ik ben er kapot van. Ze ging hier juist weg. Ik ben nog meegelopen naar de deur en ze zei: Goed dan, tot ziens, tot overmorgen - en vijf minuten later is ze dood."

Hij haalde een flesje bier uit de keuken en schudde zijn hoofd. "Ongelofelijk."

"Wie zou Carola neergeschoten kunnen hebben?" vroeg Karwenna zakelijk.

De jongeman keek hem geheel ontdaan aan. "Geen flauw idee." Hij haalde zijn schouders op: "Man, dat wil ik toch de hele tijd al zeggen: het lijkt allemaal wel een droom, het is zo onwezenlijk."

"Gaf u hier altijd uw gitaarlessen?"

"Ja, altijd."

"In wat voor stemming was het meisje?"

"O, ze was in een heel goed humeur. Ze was altijd goed gehu-

meurd. Zij behoorde tot het type dat een zegen voor de mensheid is; altijd in een goede bui, altijd positief, ze lachte altijd." Hij scheen over zijn woorden na te denken, knikte toen en zei: "Ja, ze was werkelijk een fantastische meid. Het was altijd een genoegen met haar samen te zijn en met haar te werken."
"En was ze vandaag net als anders?"
"Ja."
"Neem u gerust alle tijd. Denk er goed over na."
"Moet u eens horen," zei de jongeman, "sinds ze daar op de binnenplaats ligt, heb ik niets anders gedaan dan mijn hoofd erover gebroken, wie het meisje nu toch neergeschoten kan hebben." Hij schudde hulpeloos zijn hoofd. "Ik weet het niet!" En hij voegde er nog aan toe: "Ik geloof niet dat ze problemen had. Weet u, ik heb problemen en misschien u ook wel; er zijn eigenlijk maar weinig mensen die geen problemen hebben, maar Carola had gewoonweg geen problemen. Het was in elk geval niet aan haar te merken."
"U noemde zojuist een van haar vrienden."
"Ja, Jakob Fenn. Hij is ook een vriend van mij. Kobby is journalist, een aardige jongen en niet van gisteren, weet u. Ik bedoel te zeggen dat hij bepaald niet dom is. Maar ook Kobby heeft nooit laten blijken dat er iets niet in orde was met Carola."
"Heeft u een adres van - heet hij Fenn?"
"Vraagt u maar naar Kobby. Onder die naam kent heel München hem. Hij is journalist en komt op heel wat plaatsen."
"Hebt u zijn telefoonnummer?"
"Op de redactie weet men wel waar hij is."
Hij stak zijn hand in zijn zak en haalde een verfrommeld aantekenboekje tevoorschijn. Hij gaf het telefoonnummer aan Karwenna, die het opschreef.
Karwenna richtte zijn hoofd op. Zachtjes zei hij: "En de ouders van het meisje?"
"Carola heeft alleen nog maar een vader." Hij keek Karwenna vertwijfeld aan. "Och hemel", fluisterde hij. "Hoe moet het hem nu worden verteld? Weet u, hij is precies eender als zijn dochter. Ze is zijn enig kind."
"Heeft u ook zijn telefoonnummer?"

Winter antwoordde met tegenzin: "Jawel."
"Heeft u hier telefoon?"
"Ja, op de begane grond." De jongeman haalde diep adem; hij was werkelijk overstuur en raakte nu helemaal in paniek. Heel nadrukkelijk zei hij: "Maar ik vertel het hem niet."
"Ik zal het wel doen", zei Karwenna rustig.
Winter bladerde zwijgend door zijn aantekenboekje, gaf hem het nummer en keek toen op.
"Man", fluisterde hij. "Hoe kun je zoiets doen? Een man vertellen dat zijn dochter dood is!"
"Ik zal wel moeten," zei Karwenna, "maar u moet niet denken dat het mij gemakkelijk valt."
"Ik wil er niet bij zijn als u het hem vertelt", mompelde Winter. Hij liet Karwenna naar beneden gaan. Zelf bleef hij in de kamer. Hij ging bij het raam staan en keek naar buiten.
Karwenna draaide het nummer dat Winter hem had gegeven. Een vrouw nam de telefoon op; het was de huishoudster. Ogenblikje alstublieft.
Karwenna wachtte. Hij hoorde de zoemtoon van de telefoon en dacht na over hetgeen hij zou gaan zeggen.
De man die aan de telefoon kwam, had een plezierige stem. "U spreekt met Bork."
Karwenna noemde zijn naam. "Het spijt me heel erg, mijnheer Bork, maar ik heb slecht nieuws voor u."
"Mijn dochter?" vroeg de man onmiddellijk met een hoge en ontstelde klank in zijn stem.
"Ja, uw dochter."
De man wachtte niet af en vroeg direct: "Een ongeluk?"
"Ze werd vermoord."
Hoe vaak had Karwenna al niet zulke afschuwelijk nieuws moeten doorgeven. Men kon onmogelijk zeggen, dat hij eraan gewend was geraakt. Hij dwong zichzelf zakelijk te blijven en probeerde zijn eigen ontsteltenis over het gebeurde te onderdrukken.
De stem van de man sloeg over. "Vermoord? Wat bedoelt u? Vermoord? Goeie god, man, vertel me wat er is gebeurd..."
Karwenna had het gevoel dat de man aan de andere kant van

de lijn op het punt stond een hartaanval te krijgen, want hij hoorde hem alleen nog maar hijgen en naar lucht happen; de woorden die hij stamelde klonken zo verstikt, dat Karwenna ze niet kon verstaan.

"Weet u," zei Karwenna, "waar uw dochter gitaarlessen heeft?"

"Ja," schreeuwde de man, "in de Thalkirchener Strasse. Ik heb haar er zelf verschillende keren heen gebracht. Ik weet waar het is. Is het daar gebeurd?"

"Ja, op de binnenplaats van het huis."

De man hing op.

Karwenna hield de hoorn nog een tijdje in zijn hand en legde hem tenslotte langzaam op de haak.

Winter stond in de deuropening; nerveus sloeg hij zijn hand voor zijn mond en staarde Karwenna aan.

"Het nieuws heeft hem zeker het leven gekost, of niet?" fluisterde Winter.

"Hij komt hierheen", antwoordde Karwenna terwijl hij naar de huisdeur liep.

Henk kwam binnen. "Ik wilde je even laten weten wat de eerste ondervragingen hebben opgeleverd."Hij haalde zijn schouders op. "Niets. Drie mensen hebben het schot gehoord. Slechts één van hen besefte echter dat het een schot was. De anderen dachten dat het de knalpot van een auto was. Niemand heeft de dader gezien."

"Niemand kon hem zien. Hij schoot vanaf dat braakliggende stuk grond."

Henk knikte. "Wagner en Becker zijn daar naar sporen aan het zoeken. Maar het ziet er niet best uit. Dat terrein is ideaal. Overal ligt bouwmateriaal. Iemand kan zich daar uitstekend verbergen."

"Wat bedoelt u?" vroeg Winter. "Denkt u dat..."

"Ja", knikte Karwenna. "Ik denk, dat de dader door een gat in de houten schutting heeft geschoten."

"Door een gat in de schutting?" De jongeman keek van de een naar de ander. "Dat zou betekenen dat hij Carola heeft staan opwachten!"

"Ja, inderdaad. Hij had het op het meisje gemunt. En het betekent nog veel meer, namelijk dat de dader de moord lang van tevoren moet hebben gepland en deze plaats alsmede het tijdstip zorgvuldig heeft uitgekozen."

Vertwijfeld zei de jongeman: "Onmogelijk. Ik kan me gewoonweg niet voorstellen, dat wie dan ook haar zo koelbloedig om het leven heeft kunnen brengen. Ik heb toch al gezegd, dat Carola alleen maar vrienden had."

"Oké", mompelde Karwenna terwijl hij de binnenplaats opliep. Dokter Schniewind, de politie-arts was inmiddels ook gekomen en al klaar met zijn onderzoek. Hij stond juist op het punt opdracht te geven het slachtoffer weg te brengen, toen een uiterst opgewonden man de binnenplaats kwam oprennen.

Karwenna draaide zich om en hij wist onmiddelijk dat dit de vader van het meisje was.

De man bleef als aan de grond genageld staan, nam de situatie in zich op, zag de politie-agenten, de mensen van de recherche en tenslotte het slachtoffer.

De zon was ondergegaan en de binnenplaats was nu in een grijs licht gehuld. Het rokje van het meisje stak niet langer zo fel af tegen het grijze asfalt. De uitgestrekte armen en benen van het meisje leken breekbaar en bijzonder klein. Het leek wel alsof ze een pop was, die op het asfalt van de binnenplaats was gevallen.

Karwenna liep naar de man toe.

"Mijn naam is Karwenna. We hebben elkaar door de telefoon al gesproken."

De man staarde Karwenna aan, deed vervolgens bijna blindelings een paar stappen in de richting van de dode, liet zich op zijn knieën vallen en keek naar zijn dochter.

Niemand op de binnenplaats bewoog zich nog; allen hielden op met hun bezigheden. Bijna een minuut lang bleef de man zijn dochter aanstaren. Toen maakte hij een handbeweging alsof hij haar wilde aanraken, maar zijn hand viel slap naar beneden.

De man stond langzaam op en draaide zich om. Karwenna nam hem bij de arm.

"Kom", zei Karwenna zachtjes.

Hij voerde de man enkele stappen met zich mee.
De broeders van de ambulance kwamen de binnenplaats op, legden de dode in de auto en reden weg.
Karwenna hield nog steeds de arm van de man vast en hij bemerkte duidelijk hoe de man van emotie op zijn benen stond te trillen.
Karwenna had medelijden met hem en hij herinnerde zich de woorden van de jonge gitarist. Ook de vader zou een positief type zijn, net als zijn dochter.
Toen draaide de man zich om.
"Wat is er gebeurd?" vroeg hij toonloos.
Karwenna vertelde de man wat ze tot nu toe hadden ontdekt, namelijk dat Carola vanuit een hinderlaag werd neergeschoten toen ze in haar auto stapte.
Bork hoorde dat allemaal doodsbleek en zwijgend aan.
"Neergeschoten?" mompelde hij. "Maar waarom? Het is toch geen oorlog?"
Op dat moment sprong Becker over de muur. "Je had gelijk", riep hij tegen Karwenna. "De moordenaar stond achter die houten schutting. Ik heb de huls gevonden."
Hij toonde de huls op zijn vlakke hand.
"Goed", mompelde Karwenna. "We zullen het pistool, waarmee de kogel werd afgevuurd, ook wel vinden."
De man naast hem staarde naar de huls. "Er stond iemand achter een houten schutting? Achter welke schutting?"
Hij keek om, liep naar het afdakje toe en keek naar de houten planken en de kieren daartussen.
Toen draaide hij zich om.
"En niemand heeft de moordenaar gezien? Kun je zomaar mensen neerschieten, zonder dat iemand daar iets van merkt? Is dat mogelijk?"
"Ja", zei Karwenna rustig.
Bork staarde naar de houten schutting, wendde vervolgens zijn blik af en zag toen de jonge gitarist met de baard. Hij scheen zich te herinneren wie die jongeman was.
"Bent u die gitarist?"
"Ja", mompelde Winter, "ik wilde u even zeggen hoezeer ik

met u meevoel. Ik ben op van de zenuwen."

"O ja? Bent u op van de zenuwen?"

De man liep naar Winter toe en prikte met zijn uitgestoken wijsvinger in diens borst.

"Kunt u dit dan verklaren? Hebt u niets te zeggen? U moet toch wel iets te zeggen hebben? Het is toch bij u gebeurd? Het is toch ook uw binnenplaats gebeurd?"

Bork wendde zich opgewonden tot Karwenna. "Hebt u deze man al verhoord? Weet u wie hij is?"

"Ja", zei Karwenna in een poging de man te kalmeren. "Ik heb hem al ondervraagd. De jongeman is er niet zo van ondersteboven als u."

"Zo!" riep Bork. "Heeft hij die indruk bij u gewekt? Heeft hij u daarvan weten te overtuigen?"

Hij haalde diep adem en riep: "Ik ben er helemaal niet van overtuigd. Moet u eens naar hem kijken. Hij is niet het type, dat zich van zijn stuk laat brengen. Hij behoort tot het soort dat zich druk maakt om het lot van de mensheid, maar dat het niets kan schelen wat er met de enkeling gebeurt."

De gitarist lachte een beetje, haalde zijn schouders op en keek Karwenna aan. "Ik neem hem niets kwalijk," mompelde hij, "die man is volkomen buiten zichzelf."

"Gaat u maar mee", zei Karwenna tegen Bork. Samen verlieten ze de binnenplaats. Hij leidde de man, die de ene voet traag voor de andere zette alsof hij dronken was, naar de straat. Daar begon de man te huilen.

Hij bleef staan en zijn hele lichaam schokte van het snikken.

"O, mijn god", stamelde hij. "Ik heb altijd geprobeerd mijn dochter bij een bepaald soort mensen vandaan te houden en zeker bij jonge mensen. Wat had ze daar nou toch te zoeken? Wat kon ze daar leren? Niets. Niets goeds. Ze heeft slechts kennis gemaakt met de chaos. Jonge mensen - dat betekent altijd chaos."

Hij klemde zich hartstochtelijk aan deze gedachte vast en staarde Karwenna aan. "Ook wij hebben in onze jeugd een periode meegemaakt, waarin we vele dingen in twijfel trokken. Maar we hebben niet aan alles getwijfeld. En dat doet men tegenwoordig. En moet je eens kijken wat het resultaat is. Ze weten niet meer wat boven en wat onder is, ze staan niet meer met beide benen op de grond, ze zweven in het luchtledige en zoeken naar vastigheid, maar dat is een vastigheid die ze wel eerst zelf in twijfel hebben getrokken." Bork haalde diep adem en hield zijn blik op Karwenna gericht: "In die kringen moet u de moordenaar zoeken. En tot die kringen behoort ook die gitarist. Moet je zo'n gebaarde wereldverbeteraar nu eens zien!"

Bork stapte in Karwenna's auto, boog zijn hoofd en barstte opnieuw in snikken uit.

Karwenna zei tegen Henk: "Ik zal deze man even naar huis brengen. We zien elkaar wel op het bureau."

Karwenna ging achter het stuur zitten en reed weg.

Bork bracht er met moeite uit: "Ik heb altijd tegen haar gezegd: bemoei je toch niet met zulke mensen. Je hebt niets bij hen te zoeken. Ze zeggen dat ze een nieuwe boodschap brengen. Maar het is helemaal niets nieuws en ik elk geval niets beters. Het zijn verwarde kinderen, die geholpen moeten worden. Het zijn in ieder geval geen mensen van wie men hulp kan verwachten. Maar ze wilde niet naar me luisteren."

"Is Carola uw enige dochter?"

"Ja, mijn enige dochter. Haar moeder stierf toen Carola zes jaar was. Ik heb geprobeerd de plaats van haar moeder in te nemen. Ik heb me altijd zorgen om haar gemaakt. Ik heb haar nooit alleen gelaten. We hebben altijd alles samen gedaan. U kunt dat vragen aan wie u maar wilt. Iedereen zal bevestigen wat ik zeg. We hebben in harmonie samengeleefd; zij betekende alles voor mij en ik voor haar. Een betere verstandhouding tussen vader en dochter is ondenkbaar."

Hij herhaalde deze woorden verschillende malen, alsof het van het grootste belang was, dat Karwenna hem onverwaardelijk geloofde.

De auto stopte na enige tijd voor een tuinhek.

Bork stapte uit en opende het hek.

Een brede, geasfalteerde weg leidde naar een huis, dat een statige aanblik bood en een zekere rijkdom verried.

De auto was nog maar nauwelijks tot stilstand gekomen, of de huisdeur ging open. Er stond een jong dienstmeisje in de deuropening. Ze keek Bork aan, die nietsziend de trap opliep en riep: "Ze is dood! Dood!"

Het dienstmeisje begon te huilen.

Bork sloeg zijn arm om de schouders van het meisje en samen liepen ze het huis binnen.

Karwenna volgde hen, liep ook naar binnen en kwam tenslotte in de woonkamer terecht.

Het dienstmeisje huilde nog steeds, keek Karwenna verward aan en verliet de kamer.

Bork zei: "Helga is ons dienstmeisje en ze is al vier jaar bij ons. Ze was goed bevriend met mijn dochter."

Bork liep naar een kast en schonk zich iets te drinken in. Hij zag eruit als een man, wiens mond werkelijk was uitgedroogd.

Karwenna begon met de ondervraging: "Had uw dochter een vriend?"

"De term 'vriend' is te veel gezegd. Carola was een aantrekkelijk meisje en een knap meisje van achttien jaar trekt altijd jonge mensen aan."

"Ik heb gehoord dat het een journalist is, een zekere Jakob Fenn."

"Ja, dat weet ik. Ik heb kennis met hem gemaakt. Hij is een van die mensen die net doen alsof ze alles weten." Zijn stem kreeg nu een minachtende klank. "Mensen, die beweren, dat ze de tijd waarin ze leven goed kennen, heel goed kennen. Mensen, in wier - ogen u en ik ook - hopeloos achterlopen."

"Was deze man de geliefde van uw dochter?"

Bork keek op. "Nee", zei hij bijna verontwaardigd. "Ze had geen geliefde."

"Mag ik eens met het dienstmeisje praten?"

"Ja, vraagt u het maar eens aan Helga, zij zal het beamen."

Hij liep direct naar de deur en riep het dienstmeisje.

"Helga," riep Bork, "die journalist, was dat Carola's geliefde? De recherche wil het weten."

Het dienstmeisje aarzelde.

Karwenna deed een paar stappen, draaide zich om en keek

het dienstmeisje aan.

"Hoe oud bent u?"

"Tweeëntwintig", fluisterde het meisje bedeesd.

"Was u bevriend met Carola?"

"Ja."

Karwenna dacht dat het misschien goed was het meisje te vertellen hoe men Carola had aangetroffen. Hij beschreef gedetailleerd hoe haar lichaam naast de auto lag en terwijl hij dit vertelde, besefte hij, dat hij zich al heel nauw bij deze zaak betrokken voelde.

Het dienstmeisje luisterde met ingehouden adem toe.

" De moordenaar," zei Karwenna, "heeft de plaats vanwaar hij heeft geschoten lang van tevoren uitgezocht. Het moet iemand zijn, die heeft geweten dat Carola naar gitaarles gaat, dat ze met de auto komt en dat ze haar auto op straat parkeert, maar op de binnenplaats. Het moet dus iemand zijn die haar goed kent."

Hij voegde eraan toe: "Iemand die u wellicht ook goed kent."

Het leek wel alsof het meisje slechts met moeite kon begrijpen wat Karwenna zei. Maar toen knikte ze.

"Ik begrijp het", zei ze even later. "Het is logisch."

"We moeten dus weten wie zoal met Carola omging, met wie ze bevriend was en wie ze allemaal kende. Wie is die Kobby?"

Het dienstmeisje antwoordde nogal haastig: "Hij komt niet in aanmerking. Hij was een goede vriend van haar, een aardige kerel."

"Welke andere vrienden had ze? In welke gelegenheden kwam ze?"

Het dienstmeisje antwoordde zo goed ze kon.

Karwenna maakte aantekeningen, keek toen op en vroeg: "Wat was Carola voor iemand? Had ze werkelijk zo'n... zo'n positieve levensinstelling? Was ze werkelijk altijd goedgehumeurd? Had ze nooit problemen?"

"Nee", zei het dienstmeisje. "Ze had nooit problemen. Niet voor zover ik weet in elk geval. Ze heeft mij er niets over verteld."

"Zou ze u dat soort dingen dan hebben verteld?"

"Ik geloof het wel. Weet u, ik ben hier weliswaar dienstmeisje, maar ik was goed bevriend met Carola. Voor haar was ik geen ondergeschikte."

Ze beschreef Carola in bijna dezelfde woorden als de gitarist had gedaan. Karwenna luisterde met al zijn aandacht.

Bork kwam weer binnen. Bijna agressief vroeg hij: "En, heeft u zich ervan overtuigd, dat alles met mijn dochter in orde was?"

"Ja", antwoordde Karwenna. "Uit hetgeen ik heb gehoord, blijkt dat Carola een fantastisch meisje was. Helga schijnt dol op haar te zijn."

"Dat klopt," knikte Bork, "en dat is ook terecht." Hij begon opnieuw te huilen, ging in een fauteuil zitten en legde zijn hoofd op tafel.

"U moet de moordenaar vinden!" riep hij uit. "U moet hem vinden! Zo'n mens moet voor de rest van zijn leven achter de tralies verdwijnen!"

Karwenna verliet het huis en begaf zich naar het bureau.

★

Henk had zijn eerste verslag al geschreven. De fotograaf kwam met de foto's. Becker en Wagner waren nog onderweg; zij waren bezig met de ondervraging van de buurtbewoners, die vanuit hun raam op het braakliggende terrein konden uitkijken.

Karwenna bekeek de foto's verstrooid.

"Knap meisje," zei Henk, "achttien jaar. Het is toch verschrikkelijk."

"Ja", zei Karwenna terwijl hij opkeek. "Ik geloof, dat dit een lastige zaak zal gaan worden."

"Hoezo?" sprak Henk hem tegen. "We zijn toch nog maar nauwelijks aan deze zaak begonnen? Ik wed dat dit een geval van jaloezie is. Zo'n meisje moet wel een hoop vrienden hebben gehad. En ze heeft natuurlijk één van hen de bons gegeven. Zoiets zal het wel zijn."

"Nee", zei Karwenna terwijl hij opstond en de kamer op en neer begon te lopen. "Een moord uit jaloezie voltrekt zich op geheel andere wijze. Er gaat altijd een confrontatie aan vooraf. Maar dit geval is anders. Iemand heeft zonder een woord tegen haar te zeggen vanuit een schuilplaats op haar geschoten."

Henk moest toegeven: "Ja, je hebt gelijk. Het is een tamelijk gemene manier om iemand te vermoorden." Maar hij bleef optimistisch. "We komen er wel uit. Ik heb om te beginnen die journalist laten ontbieden."Hij keek op zijn horloge. "Hij kan elk ogenblik hier zijn."

Karwenna besloot zolang naar de kantine te gaan.

Het was er tamelijk rustig. Slechts enkele collega's zaten er koffie of bier te drinken.

Zodra hij was gaan zitten, voelde hij hoezeer hij in spanning had verkeerd. Hij concentreerde zich nu echter weer geheel op zijn gedachten en probeerde zich alle details te herinneren. Hij zag de dode, de binnenplaats en de houten schutting weer voor zich. Hij probeerde zich woord voor woord zijn gesprek met de gitarist te herinneren.

Hij was een aardige jongen. Hij zag er een beetje onverzorgd uit, maar zijn afgrijzen over het gebeurde was echt. Hij had het inderdaad niet kunnen verdragen te moeten luisteren naar Karwenna's telefoongesprek met Bork.

Gevoelig? Die reus van een kerel?

Maar hij was musicus van beroep. Dus toch gevoelig.

Karwenna zat doodstil aan zijn tafeltje en liet de beelden aan zich voorbijtrekken.

De vader, die op het asfalt neerknielde. Een vader, die van zijn dochter houdt. De intensiteit van zijn gevoelens was echt, misschien een klein beetje overdreven, maar zo'n binding tussen vader en dochter kwam wel vaker voor.

Karwenna herinnerde zich de hatelijke toon waarop Bork over jonge mensen had gesproken.

Jaloezie. Dàt was inderdaad een vorm van jaloezie, dacht Karwenna. Hij had het gevoel dàt hij zijn dochter zou verliezen, maar aan wie? Ik weet te weinig, dacht Karwenna, het meisje is nog teveel een duistere vlek voor mij.

Henk kwam de kantine binnen. ”Die journalist is gearriveerd.”

Karwenna betaalde.

”Hoe ziet hij eruit?” vroeg hij aan Henk.

”Zoals die types er gewoonlijk uitzien. Een gekreukte broek, een slobbertrui. Hij schijnt van mening te zijn dat hij zich kan veroorloven er armoedig uit te zien.”

”Een vorm van protest?”

”Ja, inderdaad.”

Toen zij het bureau binnenliepen, zagen ze Kobby Fenn bij de stoel voor de zwarte tafel staan. Henk had daar de foto’s opgehangen, waarop Carola was te zien, zoals ze dood naast de auto had gelegen.

De jongeman stond naar de foto’s te staren en bewoog zich niet. Henk moest hem even een tikje op zijn schouders geven om hem tot de werkelijkheid te doen terugkeren.

Met een afwezige blik in zijn ogen draaide de jongeman zich om; hij haalde diep adem.

Hij zei: ”Ik weet het al, ik heb het al gehoord. Maar het is heel wat anders wanneer je de foto’s ziet. Dan dringt er pas werkelijk tot je door wat er is gebeurd. Wanneer je het alleen maar hoort, besef je het nog niet zo. Een bericht kun je al dan niet geloven. Maar een foto verjaagt alle fantasieën. Afschuwelijke foto’s. Het zijn werkelijk afschuwelijke foto’s.”

Karwenna luisterde naar zijn stem. Die klonk eerlijk, maar tegelijkertijd een beetje brutaal. Het leek wel alsof de man probeerde zijn gevoelens meester te blijven door een brutale toon aan te slaan.

”Mag ik een sigaret opsteken?” vroeg hij, terwijl hij zonder het antwoord af te wachten een pakje sigaretten tevoorschijn haalde en een sigaret opstak. ”Ik kan er niet tegen doden te zien,” mompelde hij, ”zelfs niet op foto’s.”

”En zeker niet deze dode”, voegde Karwenna eraan toe. ”Zij was toch uw vriendin?”

”Ja,” zei Kobby Fenn, ”dat was ze inderdaad.” Hij grijnsde

ongelukkig. ”Het is gewoonweg niet te geloven. Misschien wordt ik zo dadelijk wel wakker.”

”Mag ik nog even bij het punt blijven dat Carola Bork uw vriendin was? Wat verstaat u daaronder? Was zij een van de vele vriendinnen die u hebt? Of betekende zij meer voor u? Was u soms verloofd? Zou je dat kunnen zeggen?”

Kobby Fenn keek Karwenna verbluft aan. ”Verloofd?”

”Vraag ik soms iets vreemds?”

”Ik vind dat woord zo merkwaardig”, mompelde Fenn. ”Wie verlooft zich tegenwoordig nu nog?” Hoe meer hij over het woord nadacht, des te breder hij begon te grijnzen. ”Verloofd kun je niet zeggen”, stelde hij uiteindelijk vast.

”Het lijkt erop,” mompelde Karwenna, ”dat we er niet uit zullen komen met behulp van een woordenboek.”

”Het lijkt er wel op”, zei Kobby Fenn. ”Sla het uwe er maar eens op na.”

Maar de jongeman wilde eigenlijk helemaal niet brutaal zijn. Ondanks de luchtige toon waarop hij sprak, was hij duidelijk door het gebeurde van zijn stuk gebracht. Hij ging onmiddelijk verder: ”Ik mocht haar erg graag. Ik heb veel plezier met haar gehad. Meer dan met anderen. Op die manier bekeken was het een bijzondere relatie.” Hij haalde diep adem en inhaleerde de rook van zijn sigaret. ”Legt u me nu eens het een en ander uit. Geeft u me eens wat informatie. Wat weet u?”

Karwenna deed zijn verhaal. Hij vertelde waar en hoe het jonge meisje werd gedood, wat de gitarist had gezegd en dat er verder geen getuigen waren.

Kobby Fenn luisterde aandachtig. ”Heeft u de binnenplaats doorzocht?”

”Ja.”

”Ze moeten de huls toch hebben gevonden.”

Karwenna dacht: die man is geschoold. Je kunt merken dat hij het een en ander van een politie-onderzoek afweet.

Karwenna vertelde hem waar ze de huls hadden gevonden.

”Achter een houten schutting?” De jongeman verhief zijn stem, deed een paar stappen en zei toen zakelijk: ”Het lijkt wel een executie!”

"Ja, dat zou je kunnen zeggen. Het is geen slechte vergelijking."

"De dader moet iemand zijn die er dagenlang over heeft lopen nadenken, hoe hij dit het beste kon aanpakken."

"Ja, dat geloof ik ook."

"Hij heeft geweten dat ze op gitaarles zat."

"Dat is wel zeker."

"Wanneer ze komt en wanneer ze weggaat. Dat ze haar auto op de binnenplaats parkeert en niet op straat."

"Ja", zei Karwenna kortaf.

De jongeman fronste zijn voorhoofd. "Het moet wel iemand zijn geweest die haar kent, haar goed kent, die een relatie met haar had en wel zo'n relatie dat die uiteindelijk in een moord resulteerde."

"U begrijpt mij volkomen", mompelde Karwenna.

Kobby Fenn dacht na, draaide zijn sigaret rond in zijn vingers en haalde toen langzaam zijn schouders op.

"Dat is niet zo eenvoudig", zei hij. "Weet u, ze was wel met mij bevriend en we waren ook wel tamelijk vaak samen, maar niet iedere dag, niet iedere avond en zeker niet iedere nacht."

"Vertelt u me maar wat u weet. U bent voor mij waarschijnlijk een van de vele getuigen. En gezien de omstandigheden bent u een tamelijk belangrijke getuige."

"Dat begrijp ik, dat begrijp ik", mompelde Kobby Fenn, terwijl hij diep adem haalde en zijn armen uitstrekte. "Ik ben verslaggever en weet net zo-veel van de politie-onderzoeken als u. Ik pijnig mijn hersenen en probeer me iets te herinneren wat een verklaring zou kunnen geven - een bepaalde situatie wellicht of een bepaald iemand." Hij schudde zijn hoofd. "Maar ik kan niets of niemand bedenken. Ik kan me niet voorstellen dat er een behoorlijk motief is geweest. Man-," bracht hij er met moeite uit, "een moord is niet zomaar iets. Ze moet bij iemand kwaad bloed hebben gezet, ze moet iemand hebben gekwetst of hebben beledigd."

Hij wachtte even en zei toen met verheven stem: "Door Carola? Door dat meisje?" Hij schudde opnieuw zijn hoofd. "U heeft haar alleen maar dood gezien. Ik heb haar levend gekend.

Ze was niet in staat iemand pijn te doen..."
Karwenna viel hem in de rede: "Ze hield van iedereen."
Kobby Fenn keek hem verbaasd aan. "Ja, dat klopt. U hebt precies de spijker op de kop geslagen."
"De gitarist zei dit."
"Ja, dat heeft hij goed gezien. Ze was niet in staat iemand kwaad te doen, te kwetsen of te beledigen." Hij herhaalde het nog eens. "Daartoe was ze totaal niet in staat."
"Een engel -," onderbrak Henk hem, "... die toeluisterde, maar zich nergens mee had bemoeid."
"Ja," knikte Kobby Fenn enigszins grijzend. "Dat woord zou je kunnen gebruiken. Als ik over deze moord had moeten schrijven, zou ik waarschijnlijk de volgende kop hebben gebruikt: 'Engeltje vermoord. Het engeltje van de Leopoldstrasse is nu dood"zaamZijn stem trilde een beetje. Er klonk zowel ironie als smart door zijn stem.
"Hoezo Leopoldstrasse? Waarom Schwabing?"
"Ik ben verslaggever. Ik schrijf societyverhalen. Als u het wat grover wilt uitdrukken: ik heb een roddelrubriek. Dat wil zeggen dat ik iedere avond op pad ben, van het ene feest naar het andere ga en elke avond honderden mensen zie. En Carola ging vaak met me mee; ze kende net zo-veel mensen als ik."
Hij grijnsde: "Net zo-veel mensen als er kiezelstenen in de Isar liggen."
"Nou ja, zo-veel mensen zullen het er wel niet zijn", mompelde Karwenna. "Ik wil alleen maar de namen van de mensen weten, met wie ze vaker omging, die ze beter kende - als vriend of als vijand."
"Ik begrijp het al", zei Kobby Fenn. "Ik wil met alle plezier een lijst namen maken - het is onmogelijk dat de moordenaar daarop staat."
"Onmogelijk-?" vroeg Karwenna langzaam. "Dat woord ken ik niet. Een mens is tot alles in staat..."
Kobby Fenn staarde hem aan. "Oké," zei hij toen, "u begrijpt er waarschijnlijk meer van dan ik. Maar u wilt dus een lijst met namen. Ik zal hem voor u samenstellen, maar - ik moet erover nadenken. Hoeveel tijd geeft u mij ervoor?"

"Tot morgenochtend vroeg."
"Komt voor elkaar." Kobby Fenn stond op. Hij scheen genoeg van het gesprek te hebben. Hij drukte zijn sigaret uit.
Karwenna draalde nog even. "U schrijft dus societyverhalen?"
"Zo kunt u het wel stellen, maar u leest ze toch niet."
"Ik kom er niet toe."
"Dan bent u een bijzonder zeldzame vogel", zei Kobby Fenn. "De meeste mensen kopen de krant alleen maar om te lezen wat er mis is met andere mensen en dan liefst nog met hoog in aanzien staande, rijke mensen. Dat hebben ze nodig voor hun dromen,snapt u?" grijnsde Kobby Fenn.
"Interessant beroep", mompelde Karwenna. "Het ziet ernaar uit dat u een interessant leventje lijdt."
"Ja," grijnsde Kobby Fenn, "ik hoop alleen dat mijn lever sterk genoeg is."
Henk liet de jongeman uit.
Karwenna keek hem na en richtte zijn aandacht toen weer op de foto's van de dode Carola.
Hij dacht tegelijkertijd aan Kobby Fenn.
Na ieder verhoor ging hij altijd een poosje rustig zitten en proefde als het ware de opgedane indrukken. Dan luisterde hij in gedachten nog eens naar de stem van de ondervraagde en probeerde hij er ondertoontje in te ontdekken. Op die manier trachtte hij zijn gegevens duidelijker op een rijtje te zetten.
Vond hij Kobby Fenn sympathiek? Karwenna stelde zichzelf deze vraag zo fel, dat hij zich erop betrapte dat hij zijn hoofd schudde: nee, sympathiek vond hij Kobby Fenn niet.
Hij zag er niet bijzonder aantrekkelijk uit. Zijn hoofd was te groot en zijn voorhoofd was hoekig, gewelfd en krachtig. Vergeleken met dit krachtige voorhoofd was de rest van zijn gezicht klein en onopvallend. Zijn kin liep spits toe. Hij had een wat gelige huidskleur, zoals de meeste die het grootste deel van hun tijd in afgesloten ruimten doorbrachten.
Hij deed beslist niet aan sport. Op de een of andere manier zag Kobby Fenn eruit alsof hij een hekel had aan lichamelijke inspanning.

Zijn lippen waren bijna meisjesachtig week en zo rood, dat men bijna in de verleiding kwam te denken dat hij ze had geverfd.

Een gewiekste kerel, vatte Karwenna zijn indrukken samen, een man met een bijzonder snel denkvermogen.

Henk kwam weer binnen.

Henk mengde zich nooit in de verhoren die Karwenna afnam, tenzij Karwenna zijn inbreng wilde gebruiken om een bijzonder efect te bereiken. Maar hij had alles gehoord en had de jongeman goed in zich opgenomen.

Karwenna stond op.

Knorrig zei hij: "Een minnaar die zijn meisje heeft verloren. En moet je eens naar hem kijken. Nauwelijks enige emotie. Wordt er dan tegenwoordig niet meer gehuild?"

Henk haalde zijn schouders op. "Hij heeft niet gehuild, maar wel overgegeven."

"Wat?"

"Ik heb hem naar het toilet gebracht. Hij wilde weten waar die waren en liep er toen snel heen. Ik heb gezien dat hij heeft overgegeven."

Karwenna hoorde het stilzwijgend aan.

"Ik heb hem gevraagd of alles in orde was. Hij zei: Nee, het is niet zo best met me. Maar toen begon hij te grijnzen en zei hij dat dit hem wel vaker overkwam. Waarschijnlijk had hij te-veel whisky gedronken."

"Oké", zei Karwenna met tegenzin.

"We zijn nog geen stap vooruit gekomen", stelde Henk droogjes vast.

"Nee", antwoorde Karwenna.

"Ik had erg veel van die jongen verwacht", zei Henk. "De vriend, de geliefde; die moet toch meer weten. Wat heeft hij eigenlijk gezegd? Tamelijk weinig. Dat het meisje een engel is, een positief type, dat alleen maar vrienden heeft. Dacht je dat hij iets voor ons verzwijgt?"

"Geen flauw idee," antwoordde Karwenna, "ik ken zijn type niet. Ik kan er niet achter komen wat hij is, hoe hij is en wat ik van hem moet denken."

"Ja," grijnsde Henk, "het wordt steeds moeilijker om met de jeugd om te gaan."

Karwenna zweeg. Hij dacht: geen spoor, zelfs niet een begin daarvan. Niets wat de fantasie op gang heeft gebracht.

Steeds zag hij maar hetzelfde beeld in zijn gedachten. Een dood meisje op een binnenplaats. Er lag een gitaar naast de dode.

"Het meisje -," zei Karwenna peinzend. "het enige uitgangspunt is het meisje. We moeten bij haar beginnen; dat is de enige mogelijkheid."

Hij stond abrupt op. "Met engeltjes kan ik niets beginnen. En ik geloof niet dat zij er een was!"

Hij pakte de telefoon en draaide het nummer van Carola's vader. Het dienstmeisje nam op. Karwenna vroeg of hij, ondanks het late tijdstip, nog even langs mocht komen.

Het dienstmeisje liet Karwenna een tijdje wachten en kwam toen terug aan de telefoon. Meneer Bork zou op hem wachten, zei ze.

"Zal ik meegaan?" vroeg Henk.

"Nee, nee," antwoordde Karwenna. "Ik weet zelf niet precies wat ik eigenlijk van die man wil."

Hij stapte in zijn auto en reed weg.

★

Het was al lang donker; het had een beetje geregend, wat Karwenna verbaasde want het was immers de gehele dag onbewolkt geweest. Het licht van de straatlantaarns werd op de straten weerspiegeld.

Karwenna reed langzaam.

Iedere zaak kwelde hem altijd in het begin en in zijn gedachten doken weer dezelfde beelden op, zijn eerste indrukken: de binnenplaats, de dode naast de openstaande autodeur, het rode rokje in het zonlicht en het felle tegenlicht dat wel op een protest tegen dood en duisternis leek. Zijn schrik, toen hij haar gezichtje had gezien: een jong meisje, de zachte gelaatstrekken, die levendigheid, waarvan slechts een afdruk was overgebleven; maar het gezichtje had desondanks toch nog warmte en zachtheid uitgestraald.

Het verkeerslicht stond op rood. Karwenna remde bijna te laat. Hij zag voetgangers de straat oversteken. Regenjassen; een opgestoken paraplu in de handen van een der overstekende voetgangers.

Wat had Fenn ook alweer gezegd? Ze hield van alle mensen. Wat voor een type mocht dat wel zijn? Een dromerig meisje? Stond ze soms niet met beide benen op de grond?

Karwenna had op de een of andere manier het gevoel dat hij dit meisje eerst moest leren kennen. Dat was het belangrijkste.

Hij reed zo snel mogelijk en kwam tenslotte voor Borks huis tot stilstand.

Er brandde een buitenlamp.

Het huis had één verdieping, een laag aflopend dak dat bedekt was met zwarte dakpannen en witgekalkte muren, waardoor het patroon van de bakstenen nog zichtbaar was. Op een van de twee stenen zuilen naast de ingang, waartussen zich een traliehek bevond, stond een gipsen leeuw.

Een merkwaardig stijlfout, vond Karwenna.

Hij belde aan en na enige tijd opende Bork zelf de voordeur, terwijl hij riep: ”Wie is daar?”

Karwenna noemde zijn naam en de man kwam over het tuinpad naar het hek toe.

”Weet u,” zei Bork, ”dat ik bang ben geworden? Er brandt overal licht. Ik kan geen duisternis meer om me heen verdragen.”

”Dat begrijp ik.”

Karwenna liep met Bork naar het huis. ”Ik wilde nog het een en ander over Carola vragen. Ik kom informatie tekort en zonder die informatie kan ik niet verder.”

Bork leidde Karwenna het huis binnen. ”Wat heeft die journalist gezegd? Kon hij u helpen?”

"Nee."

Bork werd driftig. "Die man moet toch wel wat weten! Ze ging elke avond met hem op stap. Ik kon er jammer genoeg niets tegen doen."

Hij opende de deur die naar de woonkamer leidde.

Een jongeman stond op uit een fauteuil. Bork stelde hen aan elkaar voor: "Dat is mijn neef Gunter Bork."

De jongeman was ongeveer zesentwintig jaar oud. Hij was tamelijk lang, maakte een sportieve indruk en bewoog zich soepel. Hij droeg een donker pak.

"Kommissaris Karwenna", zei de jongeman. "Goed dat u nog even langskomt. Ik had het er al met mijn oom over of ik u niet moest opbellen. U maakt zeker wel overuren?"

Karwenna gaf de jongeman een hand. "U raakt daar een teer puntje", merkte Karwenna op. "Het oplossen van een misdaad is een heel apart werk met heel aparte werktijden. het is nu eenmaal onmogelijk het werk 's nachts stop te zetten. Waarom wilde u mij opbellen?"

"Ik wilde van u persoonlijk horen wat er is gebeurd. En of er al nieuwe ontwikkelingen in de zaak zijn. Maar niet alleen dat, ik wilde u ook mijn hulp aanbieden. Bent u al met het onderzoek begonnen?"

"Ja, maar dat heeft tot nu toe nog niet veel opgeleverd. Ik heb een journalist ondervraagt -"

"Kobby Fenn", zei de jongeman snel.

"Ja, kent u hem?"

"Natuurlijk, bijna iedereen in de stad kent hem toch", zei de jongeman. "Wie in Schwabing uitgaat komt hem altijd tegen, tenminste in bepaalde gelegenheden. De man loopt ze allemaal af, soms wel tien café's op een avond. Hij is altijd op zoek naar nieuws voor zijn krant. Wat wist hij te vertellen?"
Levendig ging de jongeman verder: "Hij was met Carola bevriend. Ze zagen elkaar vrij vaak."

"Hij had niet veel te vertellen."

"O nee?" vroeg de jongeman enigszins verbaasd. "Voor zover ik de zaak kan bekijken, zou ik zeggen dat de moordenaar onder Carola's kennissen moet worden gezocht. Gaat u daar ook niet vanuit?"

"Ja, daar gaan we vanuit."

"Die man kent toch bijna iedereen. Hij moet in staat zijn u te helpen."

"Hij weet niet hoe. Hij zal in elk geval een lijst namen voor me opstellen."

"O, doet hij dat?" De jongeman dacht na en knikte toen instemmend. "Ja, dat is een manier. De mensen die hij noemt zouden dan verder kunnen worden ondervraagd."

Hij keek zijn oom aan. Bork stond er nogal afwezig bij.

"Heeft u dat gehoord, oom-?" Hij richtte zich opnieuw tot Karwenna. "Ik was hetzelfde van plan. Een lijst van namen opstellen, café's langsgaan die ze bezocht. Je moet toch ergens beginnen."

De jongeman maakte een bijzonder goede indruk op Karwenna. Hij was levendig en intelligent. Hij had bruine ogen en bruin haar. Zijn gelaat was gebruind door de zon en hij zag eruit alsof hij veel aan sport deed. Zijn gezicht was erg beweeglijk en weerspiegelde hoe hij zich voelde. Hij had een gevoelige huid, zoals men soms bij kunstenaars aantreft.

"Goede god," zei de jongen, "ik kan u niet zeggen hoe geschokt ik was."

"Woont u hier in huis?" vroeg Karwenna.

"Nee, maar niet ver hier vandaan."

"Kende u Carola goed?"

"Heel goed. We zagen elkaar niet iedere dag, maar toch wel twee of drie keer per week."

"Kunt u haar beschrijven -?"

"Beschrijven?"

De jongeman keek naar zijn oom, liep naar hem toe, nam hem bij de arm en zei zachtjes: "Dit kunt u niet verdragen. Gaat u maar naar de andere kamer. Neem iets te drinken. Wacht op mij -!" Hij wendde zich tot Karwenna. "Of wilt u soms dat mijn oom in de kamer blijft?"

"Nee, nee."

Gunter Bork bracht zijn oom naar een aangrenzende kamer, kwam terug en sloot behoedzaam de deur achter zich.

Zachtjes zei hij: "Als ik u het een en ander over Carola zou vertellen waar hij bij was, zou hij in tranen uitbarsten. Hij is aan het eind van zijn krachten."

"Ja, dat begrijp ik", mompelde Karwenna.

"Bovendien -," ging de jongeman verder, "is er iets wat hij niet weet en misschien beter ook maar niet kan weten."

De jongeman liep de kamer op en neer, liet zijn hoofd hangen, stak een sigaret op en scheen na te denken over hoe hij zou beginnen.

"Carola -," begon hij zachtjes, "was een fabelachtig meisje. Dat is het eerste wat ik moet zeggen. Ze was erg aantrekkelijk. Ze had een figuurtje dat gezien mocht worden. Ze had erg smalle heupen, benen als een mannequin-" Hij lachte verstrooid. "Neemt u mij alstublieft niet kwalijk dat ik over dit soort persoonlijke dingen praat. Ik zeg precies wat ik voel. Ik denk dat dat het beste is."

"Ja, gaat u maar verder."

"Carola was aantrekkelijk. Ze was het knapste meisje dat ik ooit heb gekend. Maar ik heb nog nooit iemand gezien voor wie het eigen lichaam zo onbelangrijk was. Daar interesseerde ze zich in het geheel niet voor. Ze was niet - niet koket. Ze proseerde niet, ze liet zich niet graag fotograferen. Ze gebruikte haar lichaam niet..." Gunter Bork keek Karwenna aan. "Wat bij een vrouw toch niet vaak voorkomt. Een vrouw die aantrekkelijk is, laat dat ook graag zien."

"Carola niet?"

"Nee, omdat - ze was echt, volkomen echt. Ze zei wat ze meen-de, ze deed wat ze wilde. Ze heeft nog nooit een bijgedachte gehad; ze was volkomen open en eerlijk."

"Iemand heeft met betrekking tot haar het woord engel gebruikt."

"O ja?" Gunter Bork keek op. "Dat is juist, dat was ze ook; als u er onschuld mee bedoelt, dan was ze dat inderdaad. Ze was de onschuld zelve."

De jongeman ijsbeerde door de kamer. Het leek alsof hij nadacht over wat hij zou gaan zeggen. "Ja, ze was de onschuld zelve."

Hij bleef staan: "Wat is dat eigenlijk: onschuld? Wanneer je met jezelf in het reine bent?"

Hij stelde de vraag inderdaad aan Karwenna en deze was van mening: "Zo zou ik het niet zeggen, want ook een misdadiger kan beslist met zichzelf in het reine zijn."

"Dat klopt." De jongeman knikte. "Neemt u mij niet kwalijk, maar dan blijven we nog steeds met de vraag zitten: wat is onschuld? Als je net als een kind bent? Maar hoe is een kind precies? Kun je bij een kind ook geen goed en kwaad onderscheiden?" Hij scheen werkelijk in deze vraag geïnteresseerd te zijn en wachtte op een antwoord.

Karwnna dacht na over deze vraag. "Ik denk dat men onschuldig is wanneer men geen kwaad heeft gedaan." Hij vertrok zijn gezicht enigszins. "U moet er wel rekening mee houden dat ik politieman en geen filosoof ben."

De jongeman had ernstig geluisterd naar hetgeen Karwenna zei. "Ja, dat klopt", knikte hij toen terwijl hij diep ademhaalde. "Ik geloof niet dat Carola ooit iets slecht heeft gedaan. In elk geval niet bewust of opzettelijk. Ze was er altijd op uit mensen te helpen."

"Op wat voor een manier?"

"Met - nou ja, met begrip, begrip voor de zwakke kanten van de mensen. Ze kon alles vergeven.

Alles wat ze deed, deed ze met liefde. Ze was slechts op de wereld om van mensen te kunnen houden."

"Hoe ver ging dat? Ook op seksueel gebied?"

"Seksueel-?" Bijna verbluft keek de jongeman Karwenna aan en schudde onmiddelijk zijn hoofd. "Nee, nee, daar is geen sprake van..."

Hij aarzelde en scheen na te denken

"Ik moet mezelf nogmaals verbeteren. Ik weet niet welke rol seksualiteit bij haar speelde. Geen grote, beslist geen grote. Maar nu vraagt u me eigenlijk te-veel. Ze had de drang..." - opnieuw zocht hij naar woorden - "zich voor mensen op te offeren." Hij begon opeens te grijnzen. "Gek hè? In een tijd, waarin niemand zich over anderen opoffert. Of komt u dat wel eens tegen?"

”Nee”, zei Karwenna.

Ook de jongeman zei een tijdje niets, stond rechtop en met opgeheven hoofd naar een punt in de verte te staren. Opeens werd hij weer ernstig.

”Ik weet,” mompelde hij, ”dat u heel precies luistert naar wat ik zeg. Ik wil geen fouten maken en doe mijn best alles zo goed mogelijk te beschrijven, maar het is zoals ik het zeg: ieder mens was haar vriend. En dat liet ze ook merken.”

Gunter Bork richtte zijn blik oplettend en onderzoekend op Karwenna, alsof hij diens misnoegen vermoedde.

”U moet proberen het te begrijpen. Ik persoonlijk begrijp zo’n houding niet, maar ik bewonder het wel - net zoals je alles bewondert wat vreemd, merkwaardig en een beetje idealistisch is.”

En plotseling voegde hij eraan toe: ”Wilt u haar kamer zien?” Hij wachtte het antwoord niet af en liep al vooruit: ”Komt u maar mee.”

Hij opende de deur en Karwenna volgde de jongeman.

Een trap leidde naar boven. De muren waren wit en er lagen rode lopers. De jongeman liep de trap met twee treden tegelijk op en draaide zich om toen hij bovenaan de trap stond. ”Loop ik te vlug?”

”Nee, ik kom er al aan”, zei Karwenna.

Gunter Bork liep de gang in en bleef voor een kamerdeur op Karwenna wachten.

Hij begon plotseling te lachen.

”Ik heb vaak voor deze kamerdeur gestaan. Carola was mijn eerste liefde. Ik ben altijd met kloppend hart de trap opgegaan. En dit hier,” - hij wees op de deur - ”was het allerheiligste.” Hij grijnsde. ”Zelfs nu voel ik nog een zekere opwinding als ik deze deur nader.”

Hij opende de deur en deed het licht aan.

Karwenna keek de kamer rond. Witte meubels, groene muren. Het was een erg kleurrijke kamer, een bed, een bank en een paar fauteuils. Alles stond door elkaar, de meubels stonden ongeordend door de kamer. Je kon ook niet zomaar de kamer doorlopen, je moest steeds om iets heen. Er lag een stapel boeken en tijdschriften op de grond. Op een boekenplank stonden een aantal grammofoonplaten. Aan de muur hing een uitgebreide collectie platen, zowel olieverfschilderijen als posters. Naast de deur was een leeg stuk muur. Met een viltstift waren er muzieknoten op getekend.

Gunter Bork zag, dat Karwenna zich stond af te vragen wat dat kon zijn. "De beginnoten van 'lost in heaven'. kent u dat?"

"Nee, nooit van gehoord."

"Zal ik het u eens voorspelen?" Hij wachtte Karwenna's antwoord niet af, ging achter de kleine piano zitten, opende de klep en begon te spelen.

"Ze was helemaal gek van deze melodie. Maar waarschijnlijk nog meer van de tekst. Spreekt u Engels?"

"Gaat wel", mompelde Karwenna.

"Ik voel me verloren in de hemel, als een vogel, als een zwaluw, de hemel draagt mij, ik voel geen weerstand, ik vlieg op en neer..."

De melodie maakte geen bijzondere indruk op Karwenna.

Gunter Bork had zich omgedraaid.

"De tekst moet door iemand zijn geschreven, die high was."

Langzaam sloot hij de klep van de piano en stond op.

"Gebruikte ze verdovende middelen?" vroeg Karwenna.

"Ze heeft beslist wel eens wad geprobeert. Ze probeerde namelijk alles uit, weet u. Dat kwam door haar nieuwsgierigheid, haar enorme nieuwsgierigheid. Ze wilde alles weten..." - plotseling vertrok zijn gezicht in een lach -" ... om van alles te kunnen houden." Hij scheen zichzelf van een plotselinge afwezigheid te willen losmaken. "Nee, ik geloof niet dat verdovende middelen een belangrijke rol in haar leven speelden."

Hij keek om zich heen, scheen ieder detail in zich op te nemen, alsof hij al een tijd niet meer in deze kamer was geweest en hij zich aan zijn herinneringen overgaf.

"Nu zal deze kamer zijn betovering verliezen -" mompelde hij, terwijl hij zich tot Karwenna wendde.

Karwenna liep op een stapeltje boeken af en bekeek de titels.

"Ze heeft van alles gelezen," zei Gunter Bork, "ook filosofische werken." Hij pakte een boek op. "Heidegger. 'Sein und

Zeit'" Hij bladerde het boek door. "Ik snap niet dat je zoiets kunt lezen. Maar zij heeft het gelezen. Ziet u," - hij liet het opengeslagen boek zien - "ze heeft alles onderstreept wat haar aansprak of wat ze wilde onthouden."

Hij sloeg het boek dicht.

"Merkwaardig, hè? Ze heeft eerst als een bezetene gelezen en heeft toen plotseling geen boek meer aangeraakt. In plaats daarvan interesseerde ze zich plotseling voor muziek en wilde ze leren gitaarspelen."

Hij wachtte even en maakte een afwezige indruk. "Nou ja," zei hij tenslotte, "wat heeft u daar eigenlijk aan? Is het belangrijk voor u?"

Karwenna dwong zich ertoe slechts indrukken in zich op te nemen en deze niet direct te beoordelen.

"Is er hier misschien een fotoalbum?" vroeg hij.

"Wilt u foto's zien?" de jongeman keek om zich heen, doorzocht een boekenplank en trok uiteindelijk een album tevoorschijn. "Hier is er een." Hij opende het album. "Hier was ze nog niet zo oud," zei Gunter Bork, "ze was daar vijftien. Dat is drie jaar geleden. Ze maakte toen met haar vader een reis door Egypte."

Men zag Carola inderdaad lachend voor de piramiden staan.

"Wat een lach, hè?" zei de jongeman. "Het is jammer dat ze nu nooit meer zal kunnen lachen. Ze heeft altijd al een erg opengezicht gehad, waarop alles viel af te lezen. Ze verborg niets. heb ik dat al niet eerder gezegd? En haar lach overstraalde alles..."

Hij zag dat Karwenna hem aankeek.

"Ik weet," zei hij, "dat u verbaasd bent over de manier waarop ik mij uitdruk, maar ik vertel alleen hoe ik mij voelde als zij lachte. Stelt u er zich maar eens op de hoogte van hoe andere mensen haar manier van lachen ervaarden."

Karwenna bladerde het fotoalbum door. Carola stond overal op; bij het paardrijden, tijdens het baden en zwemmen, in de tuin, bij het tafeltennissen, op een surfplank. Op bijna iedere foto was de lucht hemelsblauw.

Ja, dacht Karwenna, van dit meisje gaat inderdaad een heel

bepaalde bekoring uit.

Het leek opnieuw alsof de jongeman Karwenna's gedachten kon lezen. "Dat zijn nog eens foto's, vindt u ook niet?" vroeg hij. Hij scheen zijn adem in te houden. "Ik ken deze foto's allemaal, ik ken iedere foto. Toen ze niet thuis was, haalde ik dit album verschillende keren tevoorschijn - zonder dat zij het wist - en heb ik de foto's bekeken.

Karwenna draaide zich om en zag weer de noten op de muur.

'Verloren zwevend in de hemel, als een vogel, als een zwaluw' Ja, dacht hij, verloren op een binnenplaats, in de rug geschoten. De vogel vloog niet meer af en aan. Men had hem naar beneden gehaald.

Gunter Bork had zijn sigaretten tevoorschijn gehaald. Hij hield in zijn ene hand een sigaret en in zijn andere een aansteker. Maar hij stak de sigaret niet op. Pas toen ze de kamer hadden verlaten, stak de jongeman zijn sigaret aan.

Ze gingen naar beneden, terug naar de woonkamer.

"Hoe oud bent u?" vroeg Karwenna.

"Zesentwintig."

"Wat voor werk doet u?"

"Ik werk bij mijn oom, in de boekhouding."

"Wat voor soort bedrijf is dat?"

"Elektronische onderdelen. Wij maken schakelborden, computeronderdelen, alles op het gebied van elektronische apparatuur." Er viel een stilte. Toen zei de jongeman zacht:

"Ik wilde u een voorstel doen. Ik weet niet of u nu naar huis wilt?"

"Ja, dat wil ik inderdaad. Waarom vraagt u dat?"

"Ik heb mijn hulp al eerder aangeboden. We hadden kunnen uitgaan. Er zijn een paar cafè's waar Carola regelmatig kwam en waar we een aantal mensen zouden kunnen ontmoeten, met wie ze dagelijks omging. Het zou toch heel interessant zijn om te zien hoe deze mensen zullen reageren."

Karwenna dacht na.

Dat had hij uitstekend uitgedrukt: Kijken hoe ze zullen reageren.

De jongeman zei: "Ik wil iets doen. Ik kan hier niet in huis blijven. Als u geen tijd hebt, ga ik alleen."

Karwenna dacht na en keek hoe laat het was. Lieve hemel, dacht hij, het is tien uur en hij had nog steeds niet naar huis opgebeld.

"Goed," zei hij, "ik ga mee."

"Fijn", antwoordde de jongeman, die direct naar de kamer ernaast liep.

Bork zat in een fauteuil, had zijn benen voor zich uitgestrekt en zag eruit als een mens die zo vertwijfeld was dat hij geen enkele contrôle over zijn lichaam meer had.

Bork schrok op toen zijn neef binnenkwam. Hij kwam moeizaam overeind en stak zijn hand uit alsof hij ergens op wilde steunen.

"Oom," zei de jongeman, "ik wil met de kommissaris een paar café's gaan bezoeken, waar men Carola kent. Ik zou de kommissaris graag willen helpen."

"Ja", knikte Bork.

"Voelt u zich niet goed?" vroeg de jongeman bezorgd. Zonder een antwoord af te wachten liep hij de kamer uit en riep het dienstmeisje.

"Helga," zei hij, "let goed op mijn oom. Geef hem maar een slaaptablet."

Hij scheen werkelijk even te aarzelen en na te denken; hij keek Karwenna aan en zei toen: "Weet u, mijn oom heeft nogal eens de neiging om impulsieve dingen te doen. Ik maak me een beetje zorgen om hem."

"Ik zal goed op hem letten", zei het dienstmeisje.

"Haal de sleutel maar uit de gewerenkast."

"Ja, dat zal ik doen."

"En doe de garagedeur op slot."

Ook dat beloofde het dienstmeisje te zullen doen. Opgelucht wendde de jongeman zich tot de kommissaris. "Dan kunnen we gaan."

Karwenna en Gunter Bork verlieten het huis.

"Kan ik mijn auto hier laten staan?" vroeg de jongeman terwijl hij naar een Porsche wees.

"Ja, u kunt met mij meerijden", zei Karwenna.

Ze stapten beiden in en Karwenna reed weg.
Plotseling verbrak hij de stilte: "Hoe lang is ze nu al dood?" Hij gaf zelf het antwoord: "Vier uur van een eeuwigheid."
"Mocht u uw nichtje graag?"
"Ik heb toch al gezegd dat ik van haar hield. Zij was mijn eerste...," -hij maakte zijn zin niet af maar lachte een beetje -, "mijn eerste liefde. En mijn liefde voor haar heeft nooit opgehouden te bestaan."
"En uw nichtje? Hoe stond zij tegenover u?"
"Nu moet u toch eens naar me luisteren", zei de jongeman ongeduldig. "Ik heb u toch al verteld wat voor type zij was. Ze hield van iedereen. Ook van mij. Van mij en van vele anderen. Ze maakte geen uitzonderingen." Hij begon plotseling te lachen: "Ze zou ook van u hebben gehouden."
Karwenna zag de foto's voor zich, die stralende lach. Hoe kon je zoiets beschrijven? Wat kon je eruit aflezen? Wat was de speciale betekenis van deze lach? Was het gevoeligheid? Een bijzondere gevoeligheid. Haar lach was een soort uitnodiging. Je kunt komen, de deur staat open.
"Ik moet even bij mijn huis langs", hoorde Karwenna zichzelf zeggen. "Ik moet mijn vrouw even op de hoogte stellen. Ze weet nog niet waar ik zo lang ben gebleven. En we komen er toch langs."
Karwenna stopte voor zijn huis.
"Kom ook maar even binnen", zei hij.
Zwijgend stapte de jongeman uit, keek naar het huis en de straat. Hij liep met Karwenna de trap op.
"Het is een tamelijk oud huis," zei Karwenna, "maar daar staat tegenover dat het een groot huis is."
"Zegt u maar niets ten nadele van oude huizen", antwoordde Gunter Bork. "Carola hield van oude huizen. Ze zou zich hier heel goed hebben thuisgevoeld. Daar ben ik van overtuigd." Hij hield zijn hand op de houten trapleuning die door het vele en intensieve gebruik heel glad was geworden.
Helga Karwenna opende de deur en zag haar man en diens metgezel.
"Dit is mijnheer Gunter Bork", zei Karwenna en hij liep met

de jongeman naar de woonkamer.

Zijn vrouw gedroeg zich zo beleefd dat het Karwenna begon te irriteren. Hij voelde haar tegenzin.

"Moet je eens luisteren", zei Karwenna en het ergerde hem dat hij zich schuldig voelde. "Een plotselinge moord heeft alles in de war gestuurd. Ik wilde direct uit het bureau naar huis komen..."

"O ja?" zei mevrouw Karwenna.

"Er is een jong meisje neergeschoten."

Karwenna beschreef uitvoeriger dan hij eigenlijk had willen doen en dan nodig was, de moord op Carola Bork.

"Begrijp je," zei hij, "er is gewoon geen enkele aanwijzing, nergens een dader te bekennen, er bestaat zelfs geen vermoeden tegen wie dan ook. En je had het meisje moeten zien, je had moeten zien hoe ze daar op de grond lag, van achteren in de rug geschoten..."

Er lag aanvankelijk een harde klank in zijn stem, maar nu klonk er plotseling weer wat menselijk gevoel en boosheid in door. Hij maakte zijn zin niet af.

Mevrouw Karwenna nam haar man onderzoekend op. "Heb je al gegeten?"

"Nee."

"Heb je honger?"

"Nee."

"Ben je nog wat van plan?"

"Ja, dat kwam ik je eigenlijk zeggen. Ik wilde met deze jongeman nog een paar café's bezoeken waar het meisje vaak kwam, om met een paar mensen te praten die haar hebben gekend."

"Ik begrijp het."

"Dat hoop ik", zei Karwenna plotseling een beetje agressief. "Het is een moordzaak en ik mag geen tijd verliezen."

"Ook dat weet ik al lang."

Karwenna boog zich naar zijn vrouw toe, kuste haar en liep toen naar de badkamer om zijn handen te wassen.

Gunter Bork keek mevrouw Karwenna aan en lachte een beetje.

"Uw man is fantastisch", zei hij. "Hij behoort tot het soort mensen dat nooit zal opgeven. Dat bevalt mij wel. Je kunt merken dat hij bij de zaak betrokken is. Is hij altijd zo?"

"Niet altijd. Maar meestal wel en vooral wanneer het om een moordzaak gaat. Hij kan dan gewoon niet slapen."

"Niet slapen?" herhaalde de jongeman. Hij dacht even na en knikte toen: "Dat is goed."

Hij aarzelde en lachte zwakjes. "Ik geloof dat ze goed met elkaar overweg hadden gekund, uw man en Carola."

"Hoe oud was dat meisje dan?"

"Ze was achttien. Over twee weken zou ze negentien zijn geworden."

"Nog bijna een kind dus."

"Kind-?" mompelde Gunter Bork, "ik weet niet of je dat zo wel kunt zeggen. Weet u, bij een karakter zoals Carola dat had, speelde leeftijd geen rol."

Karwenna kwam de kamer weer binnen. Hij bleef stilstaan, aarzelde en het leek alsof er een vraag op zijn tong brandde.

Zijn vrouw was hem voor. "Met de jongen is het goed. Hij slaapt al bijna twee uur."

Karwenna mompelde: "Ja, dat wilde ik net vragen."

Hij zag de lichte spot in de ogen van zijn vrouw en de lust om nog iets te zeggen verging hem. Hij draaide zich om en liep weg. Zijn vrouw keek hem na en sloot toen zachtjes de deur achter hem.

"U hebt een aardige vrouw", zei Gunter Bork. "Ze maakte een prettige indruk op mij. Misschien is ze een beetje nuchter. Zou je dat kunnen zeggen?"

"Ja," zei Karwenna, "als je ouder wordt, word je steeds nuchterder.

Karwenna opende de voordeur en liep de straat op. Zwijgend stapten ze in de auto. De jongeman dacht blijkbaar nog steeds aan mevrouw Karwenna:

"Bent u elkaars tegenpolen? Uw vrouw is nuchter. U hebt fantasie. Dat geloof ik tenminste wel. Die indruk heeft u op mij gemaakt."

"Ja, dat kan wel kloppen", mompelde Karwenna. "Waar gaan we nu naar toe?"

Gunter Bork wees hem de weg. Hij zat op het puntje van zijn stoel; hij leunde niet achterover, alsof het hem tegenstond het zichzelf comfortabel te maken.

De auto reed de Sonnenstrasse in en stak de Stachus over. Alles baadde in het licht. De fontein op het plein was ook nog steeds verlicht en wierp een wit schuim op, dat aan de zee en aan de branding deed denken.

”We zullen eerst naar de Horseback gaan. Kent u dat?”

”Nee.”

”Er is een klein podium in de vorm van een hoefijzer. Je moet er op paardezadels zitten.”

”Ik ben daar nog nooit geweest.”

”Het is een tamelijk nieuwe tent. De eigenaar is een Turk. Hij verwacht veel van die zadels. Je zit er tamelijk gemakkelijk op. Trouwens, rijdt u paard?”

”Nee, ik doe niet aan paardrijden.”

”Ruiters krijgen er korting. Grappig idee, vindt u ook niet? Maar zo zijn nu eenmaal de mensen, die vooruit willen komen. Ze denken dat ze steeds iets nieuws moeten bedenken. Maar u kunt gerust zeggen, dat u paard rijdt. U kunt zeggen dat u bij de bereden politie bent.” De jongeman begon te lachen. ”Bestaat die eigenlijk nog wel?”

”Ja, die bestaat nog.”

De jongeman verzonk in stilzwijgen. Hij zat nog steeds zo ver naar voren, dat zijn gezicht bijna de voorruit raakte.

Hij wees Karwenna de weg: rechts, links, rechtdoor. ”Daarginds ziet u de lichten al.”

Karwenna zag het cáfe. Er stond een ruiter in een rode jas en met hoge laarzen aan voor de deur.

Karwenna zocht een parkeerplaats, parkeerde de auto tenslotte met twee wielen op het trottoir en stapte uit.

”Moet u eigenlijk een bekeuring betalen als u fout parkeert?” vroeg de jongeman. Hij scheen het koud te hebben en stak zijn handen in zijn broekzakken. ”Nee toch zeker?”

”Toch wel,” zei Karwenna, ”ik moet mijn bekeuringen ook betalen.”

”Maar u bent op het ogenblik toch in functie? U doet uw

werk", waar u wellicht de moordenaar zult ontmoeten.'

"Denk je dat?" vroeg Karwenna langzaam.

"Van nu af aan," ging de jongeman verder, "moet u oppassen wie u een hand geeft."

Hij draaide zich om. Ze liepen naar het café toe.

Het café was inderdaad iets heel bijzonders en niet alleen vanwege de ruiter, die zwijgend en enigszins huiverend voor de deur stond. Buiten kon men namelijk ook af en toe het gehinnik van een paard horen, dat men op een band had opgenomen, zodat voorbijgangers, die niet van het een en ander op de hoogte waren, zich verbaasd omdraaiden.

Gunter Bork mompelde: "Ik ben niet zo dol op paarden. Ze zijn me gewoon te groot." Hij bleef plotseling staan. "Wist u dat Carola kon paardrijden? Ze heeft rijlessen gehad. Haar vader heeft zelfs een keer een paard voor haar gekocht. Het dier was zo mak als een schaap zolang Carola in de buurt was. Zodra ik of iemand anders, onverschillig wie, bij hem in de buurt kwam, draaide hij zijn geweldige achterlijf naar je toe en sloeg hij met zijn hoeven naar achteren. Hij was zo sterk dat hij een stal in elkaar kon trappen."

Zijn blik bleef strak op Karwenna gericht.

"Heeft u wel eens een paard in de ogen gekeken? Nee? Paarden hebben grote donkere ogen die een beetje vochtig zijn en nagenoeg geen uitdrukking hebben, maar dit paard had een ondefineerbare uitdrukking in zijn ogen. Je had altijd het gevoel dat hij je op een heel argwanende manier bekeek."

Hij lachte en maakte een gebaar met zijn handen. "Zodra Carola in de buurt van het paard kwam, verdween die uitdrukking uit de ogen van het paard. Zijn ogen werden dan onmiddellijk enigszins dromerig."

De jongeman begon te lachen. "Ik zie, dat ik alles doe om ervoor te zorgen dat u mij serieus neemt. Maar vergis u niet en luister goed naar wat ik u te zeggen heb."

Hij haalde diep adem, verhief zijn stem en zei: "Zij kon zelfs een paard nog tot reden brengen."

Ze betraden het café.

De grote ruimte was ingericht op een manier, zoals Karwenna nog nooit eerder had gezien. Het geheel zag eruit als een stal, maar toch ook weer niet helemaal. Men waande zich hier in een futuristische stal. Het plafond was helemaal aan het gezicht onttrokken, daarvoor was het ook te donker, waardoor het leek alsof er geen einde aan het vertrek kwam en de verhoudingen niet meer klopten. De jongeman mompelde: "Het was vroeger een bioscoop. Het lijkt wel alsof je onder de blote hemel zit, vindt u ook niet?"

Ja, dacht Karwenna, dat is geen slechte vergelijking.

"Op het ogenblik hebben we een avondhemel", zei Gunter Bork. "Wist u dat men hier de maan kan laten komen? De maan, de zon, de sterren. Het plafond is een planetarium. Het is een heel gekke toestand."

Karwenna keek om zich heen.

Het café was erg vol. Overal zaten mensen aan tafeltjes. De verlichting kwam opzij en was naar beneden gericht. Het verlichtte de gezichten, een rij van gezichten, een opeenhoping van wit en bleek, zwevend in het duister.

Op het podium, dat inderdaad de vorm van een hoefijzer had, zat aan de ene kant een aantal musici; aan de andere kant stond een meisje, gekleed in western-look, met een microfoon in haar hand een liedje te zingen.

"Komt u maar mee," zei Gunter Bork, "we gaan hierlangs. De stamgasten zitten in die nis daar."

Karwenna volgde de jongeman, die in het duister goed de weg wist te vinden. Ze liepen een paar treden op en bevonden zich toen in de nis, waar verscheidene stamgasten zaten. Ook hun gezichten zweefden in het felle, vlakke licht, alsof zij van de lichamen waren losgekomen.

Men moest inderdaad op paardezadels zitten.

Gunter Bork bleef staan.

"Hij daar", zei hij plotseling, wijzend op een jongeman, die in het midden van het hoefijzer zat.

"Wat bedoel je met 'hij daar'?" vroeg Karwenna.

Gunter Bork ontblootte zijn tanden, die in het licht van de schijnwerpers glanzend wit waren.

"Een vriend van Carola", zei hij. "Rudi Stöhr. Hebt u die naam wel eens eerder gehoord?"

"Nee", antwoordde Karwenna.

Gunter Bork keek Karwenna verbaasd aan. "Dat kan toch niet waar zijn? Hij staat bijna iedere dag in de krant. Meestal in verband met de een of andere door hem begane dwaasheid."

"Het spijt me", zei Karwenna. "Vertelt u me maar wie het is."

De man, die Gunter Bork als Rudi Stöhr had aangeduid, stond op en begon door de menigte heen te dringen. Rudi Stöhr was ongeveer dertig jaar oud. Hij was opvallend klein en had een opmerkelijk gerimpeld gezicht. Het leek wel alsof zijn huid te groot was geworden voor zijn gelaat, zodat er in zijn huid grote plooien waren ontstaan. Alleen zijn voorhoofd was glad en wit; daarin was geen rimpel te bekennen.

Kijk eens aan, dacht Karwenna, die man is hier goed op zijn plaats, want hij heeft een paardegezicht.

Rudi Stöhr droeg een wit kanten overhemd. Het kant was gerimpeld en stak onder de revers van zijn jasje uit. Het lichtte fel op in het schijnsel van de schijnwerpers.

Rudi Stöhr stak zijn hand op. Er schitterde een briljanten ring aan een vinger. Hij kwam naar Gunter Bork toegelopen.

"Wat is er met Carola gebeurd?"

"Iemand heeft haar neergeschoten," zei Gunter Bork, "om zes uur toen zij van gitaarles kwam."

"Kan ik even met je praten?" vroeg Rudi Stöhr. Hij pakte Gunter Bork bijna ruw bij diens arm en trok hem aan zijn jasje mee. "Kom. We kunnen elkaar hier niet verstaan."

Rudi Stöhr liep voorop en hij liep zo snel dat Gunter Bork hem slechts met moeite kon bijhouden. Ook Karwenna moest snel lopen om hen niet kwijt te raken.

Het meisje op het podium hield op met zingen.
Er werd nu zelfs een paard op het podium gebracht. De zangeres besteeg het paard en zong een tweede lied, terwijl in het plafond nu de maan opkwam.
Rudi Stöhr opende de deur naar de toiletten. Koud licht, witte tegels.
In de nuchtere sfeer van dit vertrek en vergeleken met de witte tegelwand zag Rudi Stöhr er merkwaardig bont uit. Hij droeg een felblauw pak, witte sokken en had een rode zakdoek in de zak van zijn jasje. Zijn haar was dun en zag eruit alsof hij net bij een dameskapper was geweest.
Zijn gerimpelde gezicht was naar de beide mannen toegekeerd.
"Vertel eens," stootte hij uit, "wie heeft haar neergeschoten?" Voordat hij echter Gunter Bork de kans gaf iets te zeggen, richtte Rudi Stöhr zijn blik op Karwenna.
"Wie is dat?" vroeg hij grof.
Karwenna stelde zich voor.
"Aha, politie," bracht Rudi Stöhr er met moeite uit, "natuurlijk, ik begrijp het." Toen snauwde hij Gunter Bork toe: "Kom op, wat is er gebeurd?"
Gunter Bork vertelde hem wat hij wist.
Karwenna zocht naar zijn sigaretten. Hij was zich sterk bewust van de situatie, die veel indruk op hem maakte. Het kille licht in dit vertrek, de geur van urine, het merkwaardige mannetje dat op een paard geleek, met briljanten was behangen en met open mond stond te luisteren - zijn onderlip hing naar beneden - op wiens gezicht zijn gevoelens af te lezen waren en die zich als het ware in bochten wrong. Het was een afstotelijk gezicht.
Toen Gunter Bork was uitgesproken, bleef Rudi Stöhr een poosje onbeweeglijk staan.
Plotseling richtte Gunter Bork zich tot Karwenna: "Het heeft hem geschokt, ziet u wel. Maar dat is ook wel te begrijpen. Rudi wilde met haar trouwen. Wist u, dat hij al een ambtenaar van de burgerlijke stand bij zich thuis had laten komen?"
"Wat heb ik gedaan? Wat heb ik gedaan?" De man in het

kanten overhemd keek op en knikte toen: "Ja, ja, dat klopt!"

"Wat is dat nu weer voor een verhaal?" vroeg Karwenna terwijl hij een sigaret opstak. De urinegeur bezorgde hem een wee gevoel.

"Een grap," zei Gunter Bork, "die hij wel vaker heeft uitgehaald. Hij laat een ambtenaar van de burgerlijke stand komen, geen echte natuurlijk, maar een toneelspeler. Die komt binnen op het moment dat Rudi een feestje onderbreekt om een verrassing mede te delen.

Terwijl Gunter Bork vertelde, stond de kleine en in bonte kledij gehulde Rudi Stöhr wat afwezig om zich heen te kijken alsof hij Gunter Borks verhaal niet wilde of kon onderbreken.

"Dan haalt hij een van zijn vriendinnen, zegt dat hij speciale toestemming heeft gekregen en het meisje -," nu kon Gunter Bork gewoon niet verder omdat hij begon te lachen bij het idee alleen al. Hij kon zich niet langer beheersen en barstte dan ook in een onbedaarlijke lachbui uit." "Het meisje weet niet wat wel en niet echt is. Rudi heeft alles georganiseerd, werkelijk alles. Hij heeft een keer een kinderkoortje besteld. Dat kwam ook echt. Om tien uur 's avonds. Meisjes in witte jurkjes. Ze hebben gezongen: 'Neem mij bij de hand...'" Karwenna beet op zijn sigaret stuk en gooide hem op de grond. Gunter Bork schudde van het lachen. "Dat was werkelijk ontzettend leuk. De bruid was helemaal onder de indruk en geloofde uiteindelijk nog dat het waar was ook. Man, wat heb ik gelachen."

Rudi Stöhr stond daar nog steeds: klein, bont gekleed, met zijn paardegezicht. Hij keek op. Hij had een boosaardige blik in zijn ogen.

"Houd je kop!" zei hij zachtjes.

"Hoezo, waarom?" vroeg Gunter Bork opgewonden. "Dat toneelstuk heb je toch ook met Carola opgevoerd?"

De hand van het kleine mannetje schoot eenklaps uit en greep Gunter Bork bij zijn jasje. Hij draaide zich om, drukte de jongeman tegen de witte tegelwand en bleef zo als verstijfd staan.

"Maar, maar -", mompelde Gunter Bork.

"Neem me niet kwalijk", zei Rudi Stöhr terwijl hij zijn arm

weer liet zakken. Met neerhangende schouders keek hij Karwenna aan. Toen keerde hij zich om en liep terug de zaal in.

"Zag u dat?" vroeg Gunter Bork, "het is hem in zijn bol geslagen. Vond u ook niet dat hij zo wit werd als een muur? Hij kon nog maar nauwelijks ademhalen."

Karwenna liep ook terug naar de zaal. De maan op het plafond was nu verdwenen en er begon een streepje daglicht te verschijnen.

"Moet u opletten," zei Gunter Bork, "nu laten ze de zon opkomen; ze maken het werkelijk te bont."

Maar Karwenna zocht de zaal af naar de man met het kanten overhemd. Die verliet net op het ogenblik het café.

Karwenna liep hem achterna en volgde hem naar buiten.

Rudi Stöhr stond bij de stoeprand te wachten.

Karwenna liep naar hem toe. "Ik wilde u graag even spreken."

"Waarom?" mompelde het mannetje. "U heeft er niets aan en ik ook niet."

Gunter Bork kwam ook het café uit en ging naast Karwenna en Rudi Stöhr staan.

"Zegt u me maar wanneer een dagvaarding u het beste uitkomt."

Nu draaide de man met het paardegezicht zich om. "Dagvaarding?"

"Ik heb gehoord dat u met Carola Bork was bevriend..."

"En is dat voldoende om te laten dagvaarden?" Rudi Stöhr haalde zijn schouders op. "Zoals u wilt. Komt u dan maar mee, dan praten we er nu gelijk over."

De portier in de rode jas reed op dat moment Stöhrs auto voor, stapte uit en overhandigde hem het sleuteltje.

"Stapt u maar in", zei Stöhr ongeduldig.

"We rijden wel achter je aan," zei Gunter Bork snel, "ik weet immers waar je woont."

Zwijgend sloeg Stöhr de achterdeur dicht en reed weg.

Karwenna merkte droogjes op: "Betaalt hij zijn rekening niet?"

"Hij heeft overal krediet. Weet u dan niet dat hij miljoenen bezit?" Terwijl hij dat zei, keek hij de auto na, die tamelijk snel de smalle straat uitreed. Toen draaide Gunter Bork zich om, keek Karwenna aan en scheen nog steeds te rillen van de kou. Hij haalde zijn schouders op en blies zijn adem uit in de avondlucht.

"Is het nodig dat ik met deze man spreek?" vroeg Karwenna.

"Ja, omdat..." Zijn stem haperde.

Karwenna ging ongeduldig verder: "Zeg me dan toch waarom."

"Waarom --," Bork lachte onzeker en haalde zijn schouders op. Hij mompelde: "U bent toch op zoek naar de moordenaar, dus naar een man --," hij begon nu langzamer te spreken, "die tot alles in staat is. Welnu, daarom schoot Rudi Stöhr mij te binnen. Ik moest direct aan hem denken."

Hij herwon zijn vroegere energie en liep met flinke stappen naar Karwenna's auto.

"Het zijn gissingen. We zijn immers op gissingen aangewezen. Door op Stöhr te wijzen, leg ik u een vermoeden voor. De rest is uw zaak."

Hij wachtte tot Karwenna de auto opende, ging in de auto zitten, leunde achterover in de stoel en stak een sigaret op. "Laten we erop af gaan. Hij woont in Bogenhausen."

Karwenna stuurde de auto het trottoir af en reed weg. Gunter Bork zag er nu merkwaardig energiek uit, hij scheen werkelijk door iets te zijn bezield.

Hij lachte. "Wat een scène in die toiletten. Wat vond u ervan? Wat een reactie! Het bloed stolde hem in de aderen. U kent die man niet, hij is de koelbloedigste kerel die ik ken. Geld verschaft hem al zijn zekerheid. Hij stelt die zekerheid ook voortdurend op de proef. Hij zorgt er altijd voor, dat hij in situaties terecht komt die koelbloedigheid vereisen. Hij wil zichzelf iets bewijzen, hij wil zichzelf voortdurend iets bewijzen."

Hij bracht er met moeite uit: "Belachelijk, vindt u ook niet. Met geld als ruggesteun." Het leek wel alsof deze gedachte hem niet meer losliet.

"Hoeveel verdient u, kommissaris? Neem me niet kwalijk dat ik zoiets vraag. Maar verdient u zoveel dat u zich veilig voelt?"

Nee," antwoordde Karwenna, "maar ik heb er dan ook nog nooit over nagedacht in hoeverre geld een rol kan spelen om me veilig te voelen."

"Een heel grote rol", zei de jongeman enigszins buiten adem. "Zonder geld is Stöhr niets. Hij wordt bezield door geld. Hij zweeft als een vogel over alles heen..."

Lost in Heaven, dacht Karwenna. Ik word gedragen door de lucht, ik vlieg op en neer, als een vogel...

"Hij wordt gedragen door zijn geld", zei de jongeman. "Dat is geen kunst ook. Hij kan zich in de meeste dwaze avonturen storten." Hij lachte. Zijn lach klonk als het gekoer van een duif.

Tenslotte stopten ze voor een huis dat er als een vesting uitzag. Hoge, met klimop begroeide muren en op iedere hoek van het huis een lamp, die grote schaduwen wierpen.

Karwenna keek met verbazing naar het huis.

"Dat zijn nog eens lampen", grijnsde Gunter Bork. "Hij heeft alles speciaal laten maken. Ze branden de hele nacht door. Weet u dat de buren zich er al over hebben geklaagd! Maar dat heeft geen enkel zin. Hij laat de lampen toch aan.

"Is hij ergens bang voor?"

De jongeman duwde het tuinhek open.

"Op dit moment klinkt in iedere kamer van het huis een alarmsignaal. Iemand nadert de voordeur. Weet u dat hij een butler heeft? Hij heeft hem judolessen laten nemen. Vervolgens moest hij een test ondergaan om te bewijzen hoe goed hij met een vuurwapen overweg kon."

Karwenna hoorde het allemaal aan. Wat hij hoorde zette hij meteen in beelden om. Nog voordat hij de man had gezien, had hij zich al een duidelijk beeld van de butler gevormd.

De deur ging open.

De butler was een reus van een kerel.

O god, dacht Karwenna. Kleine mannetjes nemen altijd graag een grote hond. Hij betaalt voor de grootte die hij zelf niet heeft.

De man was één meter negentig lang, een door en door getrainde kerel met een gezicht als van een herdershond.

"Komt u maar verder", zei de man met een zachte, krakende

stem. "Ik verwachtte u al." De butler keek Karwenna nieuwsgierig aan. "Bent u van de politie? Daar kom ik regelmatig mee in aanraking."

"Hoe bedoelt u dat?" vroeg Karwenna.

De butler lachte, grinnikte. "Nee, nee", zei hij. "Ik sta niet bij jullie in de kaartenbak. Ik ben opgeleid door een politieman, dat wilde ik zeggen. Kent u brigadier Gerhardsen? Hij was mijn leraar. Een fantastische man."

De butler maakte de ingang nog niet vrij, zo geïnteresseerd was hij in het onderwerp dat hij te sprake had gebracht. "Hij heeft een groot aantal prijzen gewonnen, schuttersprijzen. Hij is in het hele land bekend."

"Ik ken hem niet" zei Karwenna.

De butler maakte nu de deuropening vrij. Aan de uitdrukking op zijn gezicht was te zien, dat Karwenna iets verkeerd had gezegd.

"O nee?" vroeg de butler. "Ik had me voorgenomen u gelijk iets te vragen. De man heeft vallend in de roos geschoten." Hij keek Karwenna opnieuw aan en herhaalde: "Vallend!"

"Het spijt me", grijnsde Karwenna.

De hal was groot en had een hoog plafond. De muren waren rood. Kleurige schilderijen van Zuidfranse schilders gaven de hal iets extravagants.

De butler ging hen voor en opende een zwaaideur. Karwenna en Gunter Bork liepen de woonkamer binnen.

Ook dit vertrek was erg groot en had een hoog plafond, dat door witte balken werd gedragen. De kamer maakte een kleurige indruk, de muren waren groen, één muur was rood en de wand van de schoorsteen was van natuursteen gemaakt. Er hingen schilderijen in goudkleurige lijsten.

Gunter Bork keek Karwenna aan om te zien wat hij ervan vond. Hij fluisterde: "Dit is nog eens een huis, hè? Kunt u de waarde taxeren van wat daar aan de muur hangt?"

"Nee", zei Karwenna, die Stöhr zag binnenkomen. Stöhr kwam langzaam aangelopen en zag er in dit reusachtige vertrek erg klein uit. Hij liep door het licht dat door het haardvuur werd uitgestraald en een moment lang zagen Karwenna en Gunter Bork de afschrikwekkende lelijkheid van zijn gezicht.

Plotseling opende Stöhr zijn mond. Hij richtte zich tot Bork: ”Wat kom jij hier doen? Ik heb jou niet uitgenodigd?”

”Maar, maar --,” stotterde de jongeman. ”Ik heb de kommissaris hierheen gebracht. Hij wist immers niet waar je woonde.”

Stöhr vergat meteen wat hij had gezegd en keek Karwenna aan.

Karwenna kon zien dat de man had gehuild. De traankliertjes onder zijn ogen waren opgezet. Zijn gelaat zag er opgezwollen uit en de huid van zijn gezicht trilde enigszins.

Karwenna haalde een van de politiefoto's uit zijn zak en overhandigde die aan Stöhr. Deze nam de foto aarzelend aan. Het was alsof hij al wist wat hij te zien zou krijgen.

Hij bekeek de foto, hield zijn adem in en bleef een poosje roerloos staan. Het leek wel alsof hij versteend was. Toen dat tot hem door scheen te dringen, begon hij te huiveren. Van de ene seconde op de andere maakte zijn onbewogenheid plaats voor opwinding. Hij begon plotseling te trillen en het leek wel alsof er een koude windvlaag over hem heen ging.

Hij ging zitten.

Hij probeerde het trillen in bedwang te houden.

Gunter Bork fluisterde: ”Zo heb ik hem nog nooit gezien.”

Stöhrs reactie scheen hem geweldig te interesseren. Hij had zijn hoofd voorover laten zakken en had geen enkel contrôle meer over zijn mond, waarvan de onderlip slap naar beneden hing.

Stöhr keek op. ”Wie kan zo'n meisje nu neerschieten?” Zijn stem klonk heel zacht, hij gebruikte slechts één ademtocht om te spreken.

”Daarvan probeer ik me een beeld te vormen”, zei Karwenna. ”De dader moet zich onder haar kennissen bevinden. Daar wijst de aard van de moord op. Het was geen toevallige moord, geen ongeluk, maar een moord met voorbedachte rade.”

Stöhr keek op. Zijn gerimpelde gelaat zag er ondanks het licht donker uit, alsof hij vanuit zijn binnenste schaduw en duisternis naar buiten wilde persen.

"Maar er moet toch een motief voor zijn?" fluisterde Stöhr.

"Dat ken ik niet," zei Karwenna. "Ik ben voorlopig nog aangewezen op wat andere mensen als motief zien. Daarom vraag ik het ook aan u."

Stöhr stond op. Hij wendde zich van hen af en bleef enigszins afwezig voor zich uit te staren. Karwenna merkte op dat Stöhr een gewatteerd jasje droeg. Mijn god, dacht hij, hij wil er groter en sterker uitzien dan hij in werkelijkheid is. Er moet welhaast een kinderlichaampje onder zijn kleding zitten.

Stöhr schudde zijn hoofd. "Ik kan geen enkel motief bedenken," zei hij tenslotte, "er kan gewoon geen motief zijn geweest." Hij draaide zich weer om en zei met snerpende stem tegen Gunter Bork: "Kun jij er een bedenken?"

De ongewone en plotselinge hardheid in Ströhrs stem maakte Gunter Bork aan het schrikken. "Nee, nee", zei hij. "Ik kan ook geen motief bedenken. Dat heb ik de kommissaris al de hele tijd gezegd."

Karwenna vroeg zachtjes: "Hoe goed kende u Carola Bork?"

In plaats van Stöhr antwoordde Gunter Bork. "Hij kent haar erg goed. Ze hoorde immers tot dezelfde kliek, waartoe Kobby Fenn, ikzelf en hij ook behoorde." Bork keek Stöhr aan. "dat heb ik de kommissaris al verteld."

"Ja", mompelde Stöhr.

"En dan die geschiedenis met die bruiloft", mompelde Gunter Bork. "Vergeet niet, dat ik die ook al aan de kommissaris heb verteld."

"Wat was dat precies voor een geschiedenis?" vroeg Karwenna.

Stöhr leunde achterover in het kussen van zijn fauteuil. Deze was van duivenveren gemaakt en gaf mee onder Stöhrs gewicht.

Hij begon plotseling te grijnzen.

In zijn ogen glinsterde een boosaardig lachje.

"Een grap. Ik maakte maar een grapje. Ik heb dat grapje wel vaker uitgehaald en telkens was er een groot aantal aanwezigen. Ik heb het zelf verzonnen. We hebben er altijd erg veel plezier mee."

Hij stond eensklaps op, alsof hij het niet langer in zijn fauteuil kon uithouden. Hij opende een gouden sigarettendoos, nam er een sigaret uit en wachtte tot Gunter Bork zijn aansteker tevoorschijn had gehaald en hem een vuurtje gaf.

"Ik wilde u er met alle plezier iets over vertellen. Het is de moeite waard." Hij lachte.

Zijn lach kwam vanuit het diepste innerlijk van zijn lichaam en klonk alsof het met geweld naar buiten werd geperst. De man was opeens niet meer verdrietig, plotseling was al zijn somberheid verdwenen. Zijn herinneringen brachten hem opnieuw tot leven.

"Ik ben gek op meisjes, weet u", zei Stöhr. "Hebt u niet gelezen dat ik veel van meisjes houd?"

Karwenna antwoordde niet; hij wilde niet zeggen dat hij de roddelrubrieken in de krant nooit las.

Maar Stöhr verwachtte helemaal geen antwoord en bewoog zich soepel over het prachtige tapijt, dat bijna de gehele vloer bedekte.

"Het ging zo: ik heb verschillende keren een vriendin gehad. Die ik dan goed kende. Aan wie ik de voorkeur gaf. Wat iedereen dan wist. Ze woonde hier. Ik vertoonde me met haar, steeds vaker en vaker en tenslotte alleen nog maar met haar."

Gunter Bork zat zachtjes te lachen, terwijl Stöhr zijn verhaal deed.

"Het meisje begon na een tijdje hoop te koesteren--." Stöhr had zich omgedraaid en keerde zijn gelaat naar hen toe. In zijn ogen fonkelde een boosaardig lachje, waardoor hij er lelijk en onvriendelijk uitzag. "Zodra zij hoop begon te koesteren--," hij haalde diep adem, "was het zover. Dan werden de eerste voorbereidingen getroffen."

"Ik weet het", knikte Gunter Bork. "Op de een of andere manier verspreidde het gerucht zich als een lopend vuurtje. Het is weer zover. Hij gaat een schow opvoeren. Bruiloft vanavond."

"Ja--", knikte Stöhr. Hij had met genoegen naar Borks woorden geluisterd. Opeens scheen hij zich niet meer te storen aan de aanwezigheid van de jongeman.

Hij knikte opnieuw en herhaalde: "Ja, er waren heel wat voorbereidingen nodig. Drukte in huis. Bloemen die bezorgd moesten worden, manden vol, reusachtige bloemstukken."

Stöhr grinnikte als iemand die zich moest beheersen om zijn woordenstroom in bedwang te houden.

"Het meisje -- het meisje met wie ik op dat ogenblik omging -- maakte dit alles natuurlijk mee. Je kon zien, dat ze steeds meer hoop begon te koesteren. Haar ogen begonnen al te glinsteren."

Karwenna luisterde gespannen toe. Hij was zich bewust van iedere porie van zijn huid en het leek wel alsof al zijn poriën openstonden, opdat geen enkele indruk hem zou ontgaan. Wat een schouwspel!

Het dwergachtige mannetje met zijn gewatteerde zijden jasje had zijn mond geopend, zodat zijn tanden zichtbaar werden. De huid van zijn gelaat hing in plooien naar beneden en bewoog naargelang het plezier dat de man ondervond.

"En dan die telefoongesprekken. Met Käfer. Ja, een buffet. Geen kleintje. Nee, een groot. Ja, een bijzondere gelegenheid. De gesprekken met de kerk. Gefingeerd natuurlijk. Ja, dominee. Een ogenblikje alstublieft, ik kan nu niet vrijuit spreken."

Hij barste in lachen uit en begon toen te hoesten en te proesten. Zijn hele lichaam schudde van het lachen.

"En dan de avond zelf. De gasten die kwamen. Iedereen was op de hoogte. Niemand verried iets, terwijl iedereen wist wat er gaande was. Iedereen deed erg formeel..." Hij lachte opnieuw, "... zelfs degenen bij wie dat helemaal niet paste en die soms zelfs niet wisten wat het is. Ze kwamen allemaal heel plechtig en knikten veelbetekenend. Toneelspelers, allemaal toneelspelers. Ze gaven het meisje een hand..."

Gunter Bork zat kaarsrecht en zijn onderlip hing nog steeds naar beneden. "Ga verder, Rudi", zei hij.

"Vervolgens kwam de dominee." Hij wendde zich tot Gunter Bork, alsof hij hetgeen hij nu wilde gaan zeggen later door een getuige wilde laten bevestigen. "Had ik niet altijd geweldige dominees?"

"Ja, inderdaad."

"Werkelijk. De toneelspelers die we hier hebben zijn eersteklas. Dat moet worden gezegd. Eersteklas! Ze zagen er zo echt uit, volkomen realistisch. Weet u dat ik zelf af en toe heb gehuiverd? Gehuiverd van angst, dat het wellicht toch echt was?"

Hij barstte weer in lachen uit. Het gelach van Gunter Bork echode er achteraan. Hij veegde de tranen uit zijn ogen. "Man, wat hebben wij gelachen."

Het gelach ebde langzaam weg.

Stöhr keek Karwenna aan, omdat hij bemerkte dat deze niet lachte.

Er viel een stilte.

Stöhr rookte en tipte de as van zijn sigaret in een asbak. Zijn ogen hadden nu de glinsterende, boosaardige glans verloren. Ze kregen weer een sombere uitdrukking, een somberheid die vanuit zijn binnenste leek te komen.

Hij ademde nu rustiger.

"Vindt u het niet grappig?" vroeg hij.

"Nee", mompelde Karwenna.

"U was er niet bij", zei Stöhr een beetje somber en verstrooid. "Je moet erbij zijn geweest om het leuk te kunnen vinden. Misschien vertel ik het ook niet goed."

"U hebt alles heel duidelijk verteld."

Er viel weer een stilte.

Het leek wel alsof Stöhr ergens op zat te wachten.

"En zo'n schijnhuwelijk hebt u ook met Carola Bork op touw gezet?"

"Dat was wat anders", mompelde hij. "Zij had namelijk gevoel voor humor. Die andere meisjes waren allemaal domme wichten. Allemaal een beetje primitief. Daar was bij Carola geen sprake van."

"Heeft ze zelf aan al dat gedoe meegedaan?"

"Nee, het lag anders. Het liep ook heel anders."

Stöhr werd een beetje zenuwachtig en verloor zijn zelfverzekerdheid. Hij bewoog zijn hoofd heen en weer en plukte aan zijn kanten overhemd.

Gunter Bork zei deze keer niets en hield zijn blik strak op Stöhr gericht. Het leek wel alsof hij diens concentratie niet wilde verstoren door iets te zeggen. Hij wachtte alleen maar af.

Stöhr probeerde te lachen, maar het klonk niet overtuigend. ”Ik had destijds hier een vriendin wonen. Het was --” Hij maakte de zin niet af en keek Bork vragend aan. ”Nu ben ik toch werkelijk haar naam vergeten. Hoe heette die meid ook al weer?”

”Agnes.”

”O, ja, Agnes”, mompelde Stöhr. ”Ik heb een tijd lang plezier met haar gehad. Ze kwam uit Hamburg. Kwam ze niet uit Hamburg?”

”Ja, ergens uit het noorden.”

”Ze was uit het noorden naar München gekomen. Wat kwam ze hier eigenlijk doen?”

Gunter Bork antwoordde: ”Gefotografeerd worden, gezien worden, leven...”

Stöhr schudde zijn hoofd alsof het hem verbaasde. ”Ik heb dat allemaal geweten”, zei hij tegen Karwenna. ”Dus, zoals ik al eerder zei, dat meisje woonde bij mij in en ik heb toen dat bewuste toneelstuk opgevoerd.”

”Een week geleden”, voegde Gunter Bork eraan toe.

”Ja, ongeveer een week geleden”, mompelde Stöhr. ”Het verliep allemaal zoals gewoonlijk. Agnes was in de zevende hemel. Ze vertelde het rond en verkeerde voortdurend in een droomtoestand. De dominee kwam, de ambtenaar van de burgerlijke stand. Het verliep allemaal volmaakt...” Toen werd Stöhrs stem opeens weer ernstig. Zijn ogen kregen een duistere uitdrukking. ”Plotseling zei ik tegen mijn butler: Breng dat meisje weg, sluit haar op, ik wil haar niet meer zien.”

”Midden in de voorstelling”, zei Gunter Bork.

”Ik ging naar Carola toe.”

”Carola was met Kobby Fenn gekomen”, kwam Gunter Bork tussenbeide. ”Zij bevond zich onder de genodigden. Het was de eerste keer dat ze zo iets meemaakte.”

”Maar ze had de komedie direct doorzien. Ik liep naar haar toe en zei: Doe mee. Doe me een plezier. Het is een grapje, meer niet. Maar ik zou het leuk vinden deze grap met jou tot een goed einde te brengen.”

”Heeft ze meegedaan?”

"Nee, ze zei dat ze niet wilde. Toen ben ik naar Kobby Fenn toe gegaan en heb tegen hem gezegd: Kobby, je weet dat het maar een grap is. Het is een geintje dat niets heeft te betekenen, een spelletje, een gezelschapsspel. Ik doe het voor jullie, zodat jullie je kunnen amuseren. Maar ik kan het niet in m'n eentje doen. En Kobby zei: ik begrijp het. Hij heeft met Carola gesproken en zei: Laat hem niet in de steek. Het is een spel voor ons allemaal."

"En toen heeft ze toch meegedaan", zei Gunter Bork.

"Ja", mompelde Stöhr. Plotseling ging hij ernstig verder: "Het was de mooiste feest dat we ooit hebben gehad. Hij wendde zich weer tot Bork: "Vind je ook niet?"

"Ja," knikte deze, "je hebt nog nooit zo'n mooie bruid gehad."

"Nee--", fluisterde Stöhr en hij herhaalde: "Nee."

Hij wachtte even voor hij verder sprak. Hij stond er erg afwezig bij en liet zijn hoofd zakken, zodat zijn getoupeerde haar over zijn kinderlijke voorhoofd viel.

Toen fluisterde hij: "Dat was acht dagen geleden. En nu --" Hij wees op de foto die hij op tafel had gelegd. Karwenna zag opeens een diepe droefenis op Stöhrs gezicht. Zijn ogen vulden zich met tranen en glinsterden vochtig.

Karwenna had moeite om in deze situatie niet de werkelijkheid uit het oog te verliezen. Hij had nog nooit zoiets vreemds gehoord. Was dit echt gebeurd?

Hij liep de kamer op en neer en bleef toen plotseling staan. "Wat heeft Carola daarna gedaan? Is ze met Kobby Fenn naar huis gegaan?"

"Nee, ik heb haar naar de slaapkamer gebracht. Ik droeg het meisje na afloop altijd naar de slaapkamer; dat was juist de mop, het hoogtepunt. Ze hebben buiten vreugdeschoten afgevuurd en er knalden wijnkurken."

Karwenna voelde opeens een soort steek in zijn hartsteek.

"Nee," zei hij bijna spontaan, "dat -- dat geloof ik niet."

Stöhr keek op. "U gelooft het niet?"

"Heeft Carola de nacht bij u doorgebracht?"

Stöhr beantwoordde de vraag niet. "Waarom zegt u, dat u

het niet gelooft? Wat brengt u daartoe?"

Ja, vroeg Karwenna zich af, wat bracht hem daar eigenlijk toe?

Bijna koeltjes zei Stöhr: "Ze is overigens een half uur in de slaapkamer gebleven. Toen kwamen we weer naar buiten."

"Hebt u haar sindsdien nog gezien?"

"Ja, een paar keer", antwoordde Stöhr met opeengeklemde lippen.

Karwenna bemerkte zijn plotselinge nervositeit en koelheid. "Hier in huis?"

"Nee, niet hier in huis. Op verschillende plaatsen. Meestal 's avonds en steeds bij toeval."

"U ziet nergens een verband met de moord, die op Carola werd gepleegd?"

Stöhr schudde zijn hoofd. "Nee." Hij voegde er plotseling met nadruk aan toe: "Ik zou het u vertellen. Dat zou ik u vast en zeker vertellen, omdat..."

Zijn stem brak opeens, alsof hij door onbekende gevoelens werd overmeesterd.

Plotseling begon er een bel te rinkelen.

Gunter Bork keek op.

Bijna automatisch draaide Stöhr zich om en drukte op de knop van een monitor.

Er verscheen een beeld. Het toonde de oprit naar het huis. Over het pad kwam een jongeman in de richting van het huis gelopen.

Het was Kobby Fenn.

★

"Wat komt hij hier doen?" vroeg Stöhr nerveus. "Ik kan zijn aanwezigheid op het ogenblik niet gebruiken." Hij richtte zich haastig tot Gunter Bork. "Zeg tegen hem dat ik niet te spreken

ben. Schiet op, hij mag niet binnenkomen."
"Een ogenblikje--" Karwenna stak zijn hand op. "Ik zou die Kobby Fenn graag even willen spreken."
"Dan zult u naar buiten moeten", zei Stöhr tegen Karwenna. "Van mij hebt u genoeg gehoord. Zijn we nog niet klaar?"
"Nee", mompelde Karwenna. "ik zou Kobby Fenn graag hier begroeten. Hij was getuige van die vreemde bruiloft. Dat interesseert me."
Stöhrs weerstand brak.
Hij keek naar het matglazen scherm. Het gelaat van Kobby Fenn was nu duidelijk te zien. Hij zag er bleek en zenuwachtig uit. Hij rookte en wierp zijn sigaret weg. Toen verdween het beeld.
Karwenna begreep dat de deur was geopend en dat de butler Kobby Fenn had binnengelaten.
Stöhr zag er nu bijna gelaten uit. Hij liet zijn armen slap naar beneden hangen en bewoog slechts zijn kleine vingers, waar aan verschillende ringen glinsterden.
De butler kwam binnen en sloot de deur achter zich. De reusachtige kerel kwam op zijn tenen binnen.
"Kobby Fenn. Zal ik hem binnenlaten? Wilt u hem ontvangen?"
"Ja", mompelde Stöhr.
De butler ging de kamer weer uit en liet Kobby Fenn binnenkomen.
Kobby Fenn liep snel naar binnen, maar verstijfde toen hij Karwenna zag.
"O", zei hij. "Je hebt de politie op bezoek."
"Ja, wat wil je?"
"Ik -- ik heb je overal gezocht. Ik ben heel München afgeweest. Ik kwam gewoon niet op het idee dat je thuis zou kunnen zijn." Hij lachte en keek van de een naar de ander. Hij had een vragende en geïrriteerde blik in zijn ogen.
"Waarover spraken jullie?" vroeg hij tenslotte.
Nu nam Karwenna het woord. "Over de merkwaardige bruiloft die in dit huis op touw werd gezet."
"Aha", zei Kobby Fenn zwakjes. Hij liep naar de bar en

vroeg: "Mag ik mezelf iets inschenken, Rudi?"

Stöhr zei niets, maar begon met een bleke vinger over zijn onderlip te wrijven.

Kobby Fenn schonk zichzelf een glas whisky in, keek Karwenna nieuwsgierig aan en zei lachend: "Een krankzinnig idee, vindt u ook niet? Ik kan u wel vertellen dat Rudi Stöhr hier heel wat dwaze bruiloften heeft gevierd. Met acteurs; met dominees en fotografen."

Hij keek opnieuw van de een naar de ander. Zijn blik bleef uiteindelijk op Karwenna rusten. "Maar u schijnt het helemaal niet leuk te vinden. Gaat het u soms te ver?"

"Wat ik ervan vind, speelt geen enkele rol."

"Dat moet u niet zeggen", sprak Kobby Fenn hem tegen. "Als u niet van dit soort grapjes houdt, zou u wel eens tot voortijdige conclusie kunnen komen--." Kobby Fenn keek Gunter Bork aan. "Waarover hebben jullie het dan gehad? Breng me toch eens op de hoogte."

Kobby Fenn had het glas in zijn hand en nam een slok. Hij leek van de situatie te genieten; het boeide hem allemaal geweldig. "Werd er over het laatste feest gesproken? Dat feest van een week geleden?"

"Ja", zei Karwenna. "Er deed zich een incident voor. De bruidegom stuurde de bruid weg."

"Aha, ik zie dat u al het een en ander weet", zei Kobby Fenn. "Het was een reusachtige verrassing. Iedereen dacht: Wat is er met Rudi aan de hand? Waarom bederft hij zijn eigen plezier? Hij heeft er tot op heden nog geen verklaring voor gegeven. Fenn keek nu naar Stöhr, die er nog steeds roerloos bijstond en alleen zijn kleine vingers bewoog.

"Heeft hij het daar al over gehad?" vroeg Kobby Fenn aan Gunter Bork.

"Nee," zei hij, "dat is nog een geheim."

Stöhr bewoog zich nog steeds niet, alhoewel de anderen hem aankeken en de stemmen hem kwelden. Hij keek alleen maar op.

"Hij liep plotseling naar Carola toe", zei Kobby Fenn terwijl hij Karwenna aankeek. "Is dat ter sprake gekomen?"

”Ja.”

”Het was een merkwaardig situatie”, zei Kobby Fenn. ”Hij gaat daar plotseling op Carola af en zegt: Doe mee. Ik zou vanavond graag met je willen trouwen. Doe me een plezier, doe mee, wees fideel, bederf onze avond niet.”

Kobby Fenn krabde op zijn hoofd. ”Wat een toestand, nietwaar? Rudi was opeens helemaal in de war...” Hij maakte zijn zin niet af. ”Dat kan ik toch zo wel zeggen, hè? Hé, Rudi, hoor je me?”

Stöhr antwoordde niet. Daarom wendde Kobby Fenn zich weer tot Karwenna.

”Carola had er geen zin in. Ze hield helemaal niet van dit soort bruiloften. In elk geval niet zo erg. Ze had medelijden met die meisjes. Zij vond het een misselijke streek tegenover die meisjes.”

Hij stak bijna agressief zijn vingers uit naar Karwenna. ”Heb ik u dat al eerder verteld? Dat ze van mensen hield? Vooral van degene die door anderen minder prettig werden behandeld?”

”Ja, dat heeft u me al verteld.”

”Ze had er dus geen zin in, hoewel de hele menigte plotseling riep: Toe nou, doe mee, het maakt toch niet uit met wie Rudi Stöhr vanavond trouwt? Dat is helemaal niet van belang. Weet u --,” ging Kobby Fenn verder, ”het leek wel alsof alle mensen ergens lucht van hadden gekregen, of ze het gevoel hadden dat er nog iets zou gebeuren. iedereen raakte opeens verschrikkelijk opgewonden.”

Hij richtte zich tot Gunter Bork: ”Klopt het wat ik zeg?”

”Ja, dat klopt”, zei Gunter Bork.

”En Carola deed uiteindelijk wat hij wilde”, zei Kobby Fenn, terwijl hij zijn whisky opdronk, diep ademhaalde en zijn blik op Stöhr gericht hield.

”Lieve hemel,” zei Karwenna, ”Carola was toch samen met u naar het feest gekomen, zij was toch uw vriendin? Heeft u haar niet tegengehouden? Liet het u onverschillig?”

”Doe niet zo--,” mompelde Kobby Fenn. ”Ik ben maar een onbelangrijke journalist. Ik ben aangewezen op de welwillendheid van bepaalde mensen. Het lijkt weliswaar alsof het omgekeerde het geval is, maar dat is niet zo. Het is in werkelijkheid zo, dat ik de mensen, die de stof voor mijn artikelen leveren, te vriend moet houden." Hij wees naar Stöhr. "Hij levert bijvoorbeeld veel stof tot schrijven. Ik moet God op mijn blote knieën danken dat ik deze stof heb. Omdat hij een man is met de vreemdste ideeën. Die man verwezenlijkt dromen -- die van hemzelf en die van anderen. Daar moet je toe in staat zijn. En hij is ertoe in staat."

Kobby Fenn begon plotseling te grinniken en wendde zich tot Gunter Bork. "Werd er verder nog iets verteld?"

"Nee", zei Gunter Bork.

"Is er niet gesproken over het feit dat hij haar de slaapkamer heeft binnengedragen?"

"Ja, zover waren we al", zei Gunter Bork, die nu ook naar de bar liep om zich iets in te schenken.

Opeens kreeg Karwenna het gevoel dat er een samenzwering tussen Gunter Bork en Kobby Fenn aan de gang was, dat ze het -- zonder iets te zeggen -- er met elkaar over eens waren iets te doen. En dat hetgeen ze van plan waren zich tegen Stöhr zou richten.

Stöhr stond er bijna hulpeloos bij.

Karwenna hoorde hoe Gunter Bork ijs in zijn glas deed en alle tijd nam om iets in te schenken.

"Je hebt er toch zeker niets op tegen, Rudi, als dat nu ter sprake komt?"

Opeens de kleine Stöhr een heftige beweging; hij uitte een onderdrukte kreet, iets wat het midden hield tussen een snik en een uitroep van woede. Hij schreeuwde: "Maak dat jullie wegkomen!" Hij deed een paar passen in de richting van de deur.

"Alfons," riep hij, "Alfons..."

De butler kwam binnen. Het leek wel alsof hij achter de deur had staan wachten.

"Gooi ze eruit", krijste Stöhr. Hij trilde over zijn hele lichaam en had zichzelf vrijwel niet meer in bedwang. "Gooi ze er allemaal uit! Ik wil niemand meer zien!"

"Wat is er aan de hand?" vroeg de butler dreigend. "Wat is er gebeurd?"

"Hij heeft zijn zelfbeheersing verloren", zei Kobby Fenn. Karwenna zag dat ook de journalist over zijn gehele lichaam trilde. "En werd hem iets gevraagd waardoor hij van streek raakte. Dat is bijzonder vreemd. We hebben een kommissaris van de recherche in ons midden, die daar wel eens bepaalde conclusies uit zou kunnen trekken."

"Eruit!" schreeuwde Stöhr. "Je bent ontslagen als je hen er niet onmiddelijk uitgooit!"

"Oké, oké", zei Gunter Bork, die er volgens Karwenna nogal tevreden uitzag. "We gaan al."

Hij lachte breeduit en toonde zijn voldoening over de situatie. "Het is al in orde, Rudi, we gaan al. Of gaat je lijfwacht ons nu soms neerschieten?" Hij keek de reusachtige butler ironisch aan. "Haal jij nu je pistool tevoorschijn? Ga je ons overhoop schieten?"

De butler keek van de een naar de ander. "Mensen," zei hij, "hij is mijn baas. Ik word ervoor betaald te doen wat hij zegt. En hij zegt, dat ik jullie eruit moet gooien."

"We gaan al", zei Kobby Fenn. "We zijn al weg." Hij liep naar de deur, evenals Gunter Bork.

Maar Karwenna bleef aandachtig staan toekijken. Hij probeerde de situatie te begrijpen.

"Kommissaris," zei de butler smekend, "hij is de baas in huis. Hij heeft het recht te bepalen wat er in zijn huis gebeurt, hij bepaald wie hier in huis mogen zijn. Ik moet doen wat hij zegt. Of -- wilt u hem arresteren? Dan wordt het een andere zaak. Dan kan ik er niets tegen doen, dan ben ik als het ware van mijn verplichtingen ontslagen..."

"Nee, ik arresteer niemand", zei Karwenna. Hij voegde zich bij Kobby Fenn en Gunter Bork en verliet het vertrek.

Bij de deur keek hij nog eenmaal om.

De kleine Stöhr stond nog steeds midden in het enorme vertrek. Zijn zijden pak glom. Het leek wel alsof hij geschminkt was; hij zag er bijzonder vreemd uit, een soort papegaai.

De journalist en Carola's neef stonden buiten op Karwenna te wachten.

"Man", zei Kobby Fenn enthousiast, "mijn handen jeuken

gewoon om het allemaal te schrijven. Ik heb een goede neus voor nieuws, groot nieuws, begrijpt u, nieuws dat iets te betekenen heeft, belangrijk is."

Hij beklemtoonde en herhaalde het woord 'belangrijk'.

De journalist was helemaal over zijn toeren. Zijn ogen schoten vuur.

"Waar kunnen wij even met elkaar praten?" vroeg Karwenna zo nuchter mogelijk.

"Er is hier een café in de buurt", zei de journalist. "Rijdt u mij maar achterna."

Hij sprong in zijn auto en reed weg.

Karwenna stapte ook in zijn auto. Gunter Bork ging naast hem zitten en begon te lachen.

"Hij is zo opgewonden," zei hij tegen Karwenna, "zijn zenuwen hebben hem volledig in de steek gelaten. Wat een man! Hij raakt anders nooit over zijn toeren. Heb ik u niet al verteld dat ik niemand ken, die zo koelbloedig is als Rudi Stöhr? Dat heb ik toch gezegd?"

"Ja, dat hebt u me inderdaad al verteld."

"Hij was volkomen van slag. Hij brieste van woede. Dat heeft u toch wel gezien?"

"Ja, dat heb ik gezien", antwoordde Karwenna geduldig, terwijl hij de achterlichten van Kobby Fenns auto volgde.

★

Het café dat de journalist had aanbevolen, was inderdaad niet ver weg. Het café was met houten kisten ingericht. De imitatie wijnranken ritselden als papier, wanneer er iemand langs liep.

Een citerspeler, die aanvankelijk de indruk wekte dat hij achter zijn instrumenten zat te slapen, vermande zich en begon te spelen.

De waard kwam eraan gelopen, herkende de journalist,

maakte een diepe buiging en zei: "Dag mijnheer Fenn. Blij u weer eens te zien."

Hij veegde met een doek de tafel en de stoelen af en zond de kelner weg met de woorden: "Deze heren bedien ik zelf!"

Hij zag al helemaal voor zich dat zijn café de volgende dag in de krant zou worden genoemd en dat was nu net de reclame die hij nodig had.

Karwenna ging zitten. "Wat wilde u mij vertellen?" vroeg hij.

"Tja", begon de journalist. "Wat heeft u precies gehoord?"

Bijna gehaast zei Gunter Bork: "Dat hij het meisje zijn slaapkamer binnendroeg."

Gunter Bork leunde achterover op zijn stoel. "Vertel jij het maar, Kobby. Jij kunt het beter dan ik."

De blik van de journalist liet Karwenna geen moment los. "Rudi Stöhr heeft een voorliefde voor technische installaties. De grote attractie van die avond was, dat hij alles wat zich daarna in de slaapkamer afspeelde via een microfoon en luidsprekers aan zijn gasten ten gehore bracht."

Hij grijnsde naar Karwenna. "Kunt u het volgen?"

"Ja, ik geloof het wel", zei Karwenna.

"En wat men toen te horen kreeg was werkelijk fantastisch. Ik bezweer u dat het fantastisch was. Rudi had het zo goed in scène gezet. Kun je dat zo zeggen?" richtte hij zich tot Gunter Bork.

"Ja, dat kun je wel zeggen. Dat is goed uitgedrukt. Hij zette het in scéne."

Karwenna vroeg: "En had het meisje daar geen vermoeden van?"

"Nee, helemaal niet. dat was juist de grap." Bijna beledigd zei de journalist: "Het wàs een goede mop!"

De waard bracht de wijn. Karwenna schoof zijn glas echter opzij: "Voor mij graag jenever."

Gunter Bork grijnsde naar Karwenna. "Het ziet ernaar uit," mompelde hij, "dat de kommissaris er niet zo over te spreken is."

"Nou ja," gaf de journalist toe, "echt leuk was het niet. Dat kun je niet zeggen. Maar --," zei hij plotseling nadrukkelijk, "dingen, die mensen veel plezier bezorgen zijn nooit echt leuk."

Karwenna zei: "Dus hij droeg Carola nar de slaapkamer?"

"Ja," zei de journalist, "en vergat de microfoon uit te schakelen."

"Wat heeft u gehoord?" vroeg Karwenna. De jenever werd gebracht en hij dronk het glas in één teug leeg.

Gunter Bork leunde achterover op zijn stoel.

Kobby Fenn daarentegen boog zich naar voren: "Rudi Stöhr legde een liefdesverklaring aan Carola af. Zijn stem klonk niet erg duidelijk, hij kuchte af en toe en soms was het nauwelijks te verstaan wat hij zei. Hij was volkomen buiten zichzelf, hij smeekte haar hem tot man te nemen, met hem te trouwen. Tussendoor huilde hij, ja echt waar, hij huilde, hij snikte. We hebben het allemaal gehoord en we waren met zo'n vijftig, zestig man.

Maar toen merkte hij kennelijk dat de microfoon nog aanstond. Het begon plotseling in de luidsprekers te kraken. En toen hoorden we helemaal niets meer."

"Ga verder", zei Karwenna.

"Hoe bedoel je, verder --," mompelde Kobby Fenn. "We hebben niet gehoord wat zij zei, wat ze hem heeft geantwoord. We waren allemaal erg zenuwachtig, het hele gezelschap was volkomen ondersteboven van wat men had gehoord. Een half uur later kwam Carola de slaapkamer uit. Alleen."

"Alleen?"

"Ja. Rudi Stöhr stuurde Alfons, die ons kort en krachtig vertelde dat het feest over was."

"En heeft hij zichzelf niet meer laten zien?"

"Nee, hij is niet meer tevoorschijn gekomen. Hij was spoorloos verdwenen."

"Wist Carola dat de microfoon aanstond?"

"Zij had er niet het flauwste vermoeden van. Ik heb het haar later verteld. Ik heb tegen haar gezegd: Carola, we hebben alles gehoord. Wat heb je hem geantwoord? Als je wilt, kun je morgen miljoenen bezitten."

"En wat zei ze daarop?"

Kobby Fenn grijnsde een beetje. "Ze zei: Ik heb nee gezegd.

Ze was er niet toe te brengen nog meer te zeggen. Ze ergerde zich nogal aan het feit dat alle gasten hadden gehoord wat Rudi Stöhr tegen haar had gezegd."

"En heeft ze verder niets gezegd?"

"Nee, meer niet, alleen dat ze nee had gezegd."

Karwenna keek van de een naar de ander. Er lag een wilde uitdrukking op Kobby Fenns gezicht. Zijn ogen fonkelden.

"Ik bedoel --," zei hij langzaam, "misschien heeft ze wel smalend gelachen. Misschien heeft ze geantwoord: Daar kan geen sprake van zijn. Het kan zijn dat hij gevraagd heeft waarom niet. En het kan even goed zijn dat ze gezegd heeft --," nu werd zijn stem boos: "omdat je een miserabel vies kaboutertje bent, dat ik nog niet eens met een tang zou willen aanraken..."

"Nee, nee", viel Gunter Bork hem in de rede.

Kobby Fenn remde zichzelf wat af. werd rustiger en lachte een beetje. "Ik weet," zei hij, "dat ze zo niet was. dat ze zich nooit op een dergelijke manier zou uitdrukken, maar --," ging hij langzaam verder, "hoe ze het ook heeft gezegd, hij zal het wel zo hebben opgevat. Wist u, dat Rudi Stöhr erg ijdel is? Hij is ontzettend ijdel."

Karwenna dacht na en probeerde zich de situatie voor ogen te halen. "Waar stuurt u op aan?" vroeg hij.

"Nou, dat is een goeie", mompelde Kobby Fenn. "Op het motief voor de moord natuurlijk. We moeten het motief te weten zien te komen. Als we het motief kennen, hebben we gelijk de moordenaar."

Karwenna bleef een tijdje rustig zitten.

Niet slecht, dacht hij, ik kan me voostellen dat dat een motief kan zijn geweest. Gekwetste ijdelheid, dodelijk gekwetste ijdelheid. Een in zijde geklede en met briljanten behangen dwerg, een playboy en de leider van een kliek, waarin hij alles voor het zeggen heeft, waarin hij de grootste rol speelt -- maar die nu in een macabere situatie verzeild raakt: iedereen hoort hem huilen en stamelen hoeveel hij van een meisje houdt. En vervolgens werd hij door dat meisje afgewezen. Ja, het was zeer goed mogelijk dat dit een motief voor de moord was.

Hij had zichzelf in twijfel getrokken, zich blootgegeven, hij had zichzelf belachelijk gemaakt.

Karwenna merkte dat Kobby Fenn hem aankeek. Gunter Bork leunde achterover, maar ook hij had al zijn aandacht op Karwenna gericht.

"Nou", zei Kobby Fenn ongeduldig. "Hoe lang duurt het nog voordat dit tot uw politieverstand is doorgedrongen?" Hij ging verder: "Ik zou me Rudi Stöhr heel goed kunnen voorstellen met een pistool in zijn hand achter een houten schutting. Hij heeft pistolen genoeg in huis. Ik heb ze zelf gezien. En ik heb ook gezien dat hij ermee kan omgaan."

Nu leunde ook Kobby Fenn achterover op zijn stoel.

"Eén ding moet ik nog zeggen", meende hij. "Als wat ik zeg bruikbaar voor u is, als er ook maar een kern van waarheid in zit, dan verzoek ik u mijn rechten te eerbiedigen."

"Wat bedoelt u daarmee?" vroeg Karwenna.

"Het is mijn verhaal en dat meen ik. Ik wil het als eerste publiceren. Dat moet u toch goedvinden."

Karwenna liet zijn hoofd zakken en antwoordde niet.

"Daar sta ik op", zei Kobby Fenn hardnekkig. "Het is het beste verhaal dat ik ooit heb gehad. En ik wil het als primeur. Daar kunt u toch niets op tegen hebben."

"Nee, daar heb ik niets op tegen", mompelde Karwenna en hij voegde eraan toe: "Vertelt u me eens wat meer over Rudi Stöhr. Waar komt hij bijvoorbeeld vandaan?"

"Nu moet u me toch eens vertellen," vroeg Kobby Fenn verbaasd, "hebt u echt geen vermoeden? Stöhr. Denk toch eens na. De naam moet u bekend in de oren klinken. Een fabriek in het Roergebied."

"Het spijt me", mompelde Karwenna.

"Rudi is de enige erfgenaam en hij is totaal niet in die fabriek geïnteresseerd. Hij zegt dat hij telkens als hij daar komt verschrikkelijke hoestbuien krijgt. Hij denkt dat hij niet tegen de lucht kan." Hij lachte en liet zijn tanden zien. "Hij woont al vijf jaar in Müchen en bestrijdt zijn hoest op die manier."

"Zijn karakter", zei Karwenna. "Vertelt u eens iets over zijn karakter."

Kobby Fenn leek weer een beetje te huiveren. De vingers

waarmee hij zijn sigaret vasthield trilden. Misschien kwam dat ook wel van de opwinding.

"Karakter?" Hij keek vragend naar Gunter Bork, die niet aan het gesprek deelnam, maar wel aandachtig zat te luisteren.

"Ik bedoel," vroeg Karwenna, "kan men zo'n daad van hem verwachten?"

"Jazeker!" riep Kobby Fenn zonder aarzelen uit. "Hij is een vastberaden type. Iemand die kan organiseren. Die doorzet wat hij zich heeft voorgenomen. Dat is zijn sterke kant: ten koste van alles doen wat hij wil. Hij heeft geen ontzag --" nu boog Kobby Fenn zich weer voorover. "Geen ontzag --," herhaalde hij, "voor niets of niemand en zeker niet voor de wet."

Hij richtte zijn blik op Gunter Bork.

"Zeg jij eens wat. Is het juist wat ik zeg?"

"Ja, hij heeft nog nooit ontzag voor iemand getoond. Voor niemand."

Er viel een stilte.

De citerspeler had al die tijd zitten spelen en leek enigszins beledigd te zijn omdat niemand enige aandacht aan hem schonk. Hij maakte van de stilte gebruik om zich kenbaar te maken. Hij streek over de snaren en begon te zingen.

Kobby Fenn draaide zich geïrriteerd om en riep tegen de citerspeler: "Hou op!"

De man liet van schrik de citer los.

De waard keek verschrikt naar de drie mannen.

"Wat gaat u doen?" fluisterde Kobby Fenn. "Gaat u iets doen?"

Karwenna stak zijn hand in zijn zak en zocht naar geld.

"Afrekenen", riep hij.

De waard kwam aangesneld. "U had moeten zeggen dat u last had van de citerspel", klaagde de waard.

"Zullen we gaan?" vroeg Kobby Fenn.

"Ja", mompelde Karwenna en stond op. Hij keek op zijn horloge. Het was middernacht.

Vluchtig bedacht hij dat Carola nu al zes uur dood was. Of moest hij zeggen: pas zes uur?

"U moet toch iets doen --", zei Kobby Fenn helemaal teleurgesteld. "Is er soms geen reden voor een arrestatie?"

"Ja, daar is voldoende reden voor," zei Karwenna, "maar dat kan ook nog wel tot morgen wachten."

"U wilt tot morgen wachten?" vroeg Kobby Fenn en zijn stem klonk bijna boos.

Ook Gunter Bork stond op.

"Laat hem toch ", zei hij. "Ik heb de indruk dat de kommissaris heel goed weet wat hij doet. Als hij tot morgen wil wachten zal hij daar wel een goede reden voor hebben."

"Welke reden?" mompelde Kobby Fenn opgewonden.

"Ik ben moe", zei Karwenna droogjes. "Kan mijnheer Bork met u meerijden? Dan kan ik rechtstreeks naar huis gaan."

Ze liepen de straat op.

Kobby Fenn had de moed nog niet opgegeven. "Man," zei hij, "u hebt nu toch wel een verschrikkelijk goede tip gekregen. En u gaat er niets mee doen?"

"Welterusten", zei Karwenna terwijl hij in zijn auto stapte en wegreed. In zijn achteruitkijkspiegel zag hij de twee mannen nog op de stoeprand staan praten.

Karwenna voelde nu pas goed hoe moe hij was. Het was niet zozeer een lichamelijk moeheid, alswel een dof gevoel in zijn hoofd. Hij kon niet langer helder nadenken. Hij kende deze toestand, die een gevolg was van een lange en bijzonder intensieve concentratie. Zelfs als hij het juist had gevonden, dan nog had het geen enkele zin gehad Rudi Stöhr nu ook op te zoeken.

Hij reed langzaam door de nachtelijke stad en het was half één toen hij eindelijk de voordeur van zijn woning opende.

Hij deed het licht aan en trok zijn schoenen uit.

Het schoot hem te binnen dat hij nog helemaal niet had gegeten. Hij opende de koelkast en haalde er worst en kaas uit. Daarna liep hij naar het keukenkastje, pakte brood en sneed er twee dikke plakken af. Deze bezigheid verdreef zijn vermoeidheid een beetje en hij besloot om ook nog koffiewater op te zetten.

Hij kromp bijna ineen van schrik toen de deur openging en zijn vrouw de keuken binnenkwam.

Helga Karwenna had een ochtendjas aangetrokken. Ze had

snel haar blonde haar gekamd en strak naar achteren gebonden.

"Heb je nou nog niet gegeten?" vroeg ze.

"Ik kon er niet toe komen."

"Ga zitten", zei Helga. "Ik zal koffie voor je zetten en ik zal ook het avondeten voor je opwarmen."

Ze haalde zwijgend een pan tevoorschijn, stak het gas aan en haalde een stuk vlees uit de koelkast.

Karwenna ging zitten en keek zwijgend naar zijn vrouw. Toen vroeg hij: "Heb je wel eens gehoord van Rudi Stöhr?"

"Ja, natuurlijk", zei Helga, zonder ook maar enigszins verbaasd te zijn. "Je bedoelt die playboy?"

"Ja, die bedoel ik."

"De kranten staan regelmatig vol over hem."

"Zo--", zei Karwenna geërgerd. "Ik heb nog nooit van die man gehoord. Wat staat er dan over hem in de krant?"

"Nou, het heeft meestal iets met vrouwen te maken. Hij heeft voortdurend iets met de mooiste meisjes van de wereld." Ze keek hem nieuwsgierig aan. "Heb jij dan iets met die man te maken?"

"Misschien, zou kunnen", mompelde Karwenna.

"Die man heeft altijd heel merkwaardige invallen", zei mevrouw Karwenna. "Hij haalt steeds allerlei dwaasheden uit. De allergektste keer was toen hij van het leger een pantserwagen had gekocht. Daarmee heeft hij toen door de Leopoldstrasse gereden en de mensen met bonbons beschoten..."

Ze lachte.

Het lachen verging haar toen ze de enigszins droevige uitdrukking op het gezicht van haar man zag.

"En zoiets maakt indruk op jou?" vroeg Karwenna.

"Nou ja, moet je horen", lachte Helga. Uit een stuk oorlogstuig met bonbons schieten... Dat is toch een aardig idee. Wacht even, ik herinner me nog wat Kobby Fenn erover heeft geschreven..."

"Wat--?" vroeg Karwenna verbaasd. "Je kent Kobby Fenn?"

"Maar die schrijft toch iedere dag in de krant?" vroeg Helga op haar beurt verbaasd. "Hij schreef destijds: De Nobelprijs voor de vrede voor Rudi Stöhr. Grootvader bouwde panterswagens voor de oorlog; zijn kleinzoon schiet met bloemen. Zoiets dergelijks."

Karwenna vertrok zijn gelaat en wijdde al zijn aandacht aan het stuk vlees op zijn bord.

"Is er wat met Rudi Stöhr?"

"Ja," zei Karwenna en zijn stem kreeg plotseling een boosaardige klank. "Het kan zijn dat hij op een meisje heeft geschoten. En deze keer niet met bonbons en bloemen."

"Ach nee", mompelde Helga Karwenna.

"Je stem klinkt nogal treurig."

"Ja, ik vind het vervelend om te horen", antwoordde Helga. "Zoiets past helemaal niet bij hem."

"Moet je eens luisteren," zei Karwenna en hij begon zich op te winden, "je weet helemaal niet waartoe die man in staat is. Het is een gemene kerel."

Hij schoof het bord van zich af en vertelde het verhaal over de bruiloften.

Helga luisterde aandachtig. Tenslotte begon ze te lachen. "Weet je, hij steekt de draak met een paar conventies, een paar heilige burgerlijke begrippen en dat is nog terecht ook. Heb jij dan geen gevoel voor humor?"

"Humor?" vroeg Karwenna.

"Ja, het is een grapje. Het gaat een beetje ver, dat wel, dat moet ik toegeven. En dat met die microfoon is gemeen. Dat had hij niet moeten doen." Ze schudde haar hoofd. "Jammer. Tot nu toe heb ik altijd met plezier over hem gelezen."

"Je hebt die man toch zeker niet verheerlijkt?" vroeg Karwenna verontwaardigd.

"Nee, dat niet, maar ik vond het altijd wel leuk om te zien hoe gemakkelijk iemand met zijn geld kan omspringen."

"Omdat hij het niet zelf hoeft te verdienen", bracht Karwenna ertegen in. "Voor bloemen, bonbons en oude pantserwagens, voor wijn, kleren en feesten."

Bijna grimmig sneed Karwenna een stukje van het vlees af en hij praatte met volle mond.

Helga zei: "Het spijt me dat mijn opvattingen niet met de

jouwe overeenstemmen."

"Laat maar", zei Karwenna, terwijl hij opstond en zijn vrouw in de keuken achterliet. Hij liep naar de slaapkamer.

Hij zag het opengeslagen boek, waarin zijn vrouw had liggen lezen. Aha, ze had dus nog niet geslapen. Ze had weer eens op hem gewacht.

Aarzelend liep Karwenna naar het bed van zijn vrouw en pakte het boek.

Hij betrapte zich erop dat hij helemaal geen idee had van het soort boeken, dat zijn vrouw las. Ze was altijd wel wat aan het lezen, maar hij had er geen flauw idee van wat haar interesseerde.

Roland Dahl. M'n liefje, m'n duifje. Karwenna had nog nooit van die schrijver gehoord en hij keek een beetje op van de titel.

"Zeg," zei Karwenna, "wat ben je eigenlijk aan het lezen? Is dat pornografie?"

Ze lachte hartelijk. "Nee, nee. Het zijn macabere verhalen. Ze zijn geweldig. Maar niet bestemd voor kinderen, dat is waar." Karwenna legde het boek neer en liep naar de badkamer. Hij bleef lange tijd voor de spiegel staan en hoewel hij naar zijn spiegelbeeld keek, zag hij niets. Hij was zo verschrikkelijk verstrooid.

Hij haalde zich Rudi Stöhr voor de geest. Hoe lang was die man eigenlijk? Eén meter zestig, één vijfenzestig, in elk geval niet langer. En hij droeg niet één ring aan zijn vinger, maar diverse. En dan dat duifblauwe, zijden pak, dat glansde in het licht. Daarboven zijn lelijke hoofd. En met dezelfde hangwangen als een hond, een boxer; teveel huid voor te weinig gezicht. Het getoupeerde haar. Hij zag eruit als een vogelverschrikker. Het was gewoonweg bespottelijk.

Karwenna waste zich, kreeg zeep in zijn ogen en greep blindelings naar een handdoek.

Carola. Hij zag de foto's weer voor zich. Wat een schepseltje. Achttien jaar? Pas achttien? Wat deed ze eigenlijk? Werkte ze bij haar vader? Of zat ze nog op school? Als ze nog op school had gezeten, moest hij eens met de leraar gaan praten. Dat stond vast.

Karwenna droogde zijn gezicht af en bleef nog even staan.

Carola bij het tennissen. Carola bij het zeilen. Op alle foto's lachte ze op dezelfde ontroerende manier. De wereld lachte je toe, de schoonheid lachte je toe, de gezondheid lachte je toe.

Karwenna wierp de handdoek over de rand van de badkuip en liep de slaapkamer binnen.

Helga keek hem aan. "De zaak gaat je zeker aan het hart?" vroeg ze.

"Ja", knikte hij, terwijl hij zich uitkleedde en in bed stapte. Hij wilde er niet meer over praten.

Hij lag op zijn rug en dacht: Ja, de zaak ligt me inderdaad na aan het hart. Met zijn gedachten bij het meisje met het rode rokje en de rode muts viel hij tenslotte in slaap.

In zijn droom zag hij de achterwand van de houten loods voor zich; hij zag de brede openingen en door een van de spleten zag hij het gezicht van Rudi Stöhr, slechts één oog, een wijdopen gesperd oog naast de loop van een pistool.

★

Toen de wekker afliep had Karwenna het gevoel dat hij nog geen uur had geslapen.

Maar het was zeven uur in de morgen. Hij rook de geur van koffie en in de keuken hoorde hij de stem van zijn zoon.

"Hallo", zei Karwenna.

De deur ging open. Michael stapte naar binnen. "Ik moet je nog mijn tekening laten zien. De meester heeft gezegd dat-ie erg goed is." Michael sloeg zijn tekenschrift open en liet een enigszins onduidelijke tekening zien.

"Erg goed", zei Karwenna. "Wat stelt het voor?"

"Je hebt de tekening op z'n kop", zei de jongen. "Het is een wei met koeien."

"O ja", zei Karwenna. "Ik dacht al dat de koeien poten op hun rug hadden."

Michael lachte, liep terug naar de keuken, herhaalde wat zijn vader had gezegd en verdween toen. Je kon zijn voetstappen op de trap horen.

Karwenna voelde zich plotseling een beetje verdrietig. Zijn zoontje schilderde weiden met koeien, wolken en vreedzame boeren. Karwenna dacht: Ze schilderen allemaal vrolijke weiden met bloemen, koeien en witte wolken. Er is helemaal geen plaats voor een moord. Niet in de eerste tekeningen die de mens als kind maakt. Daar komt nooit een moord in voor.

Terwijl Karwenna zich waste, dacht hij na over de manier waarop hij die dag te werk zou gaan. Zou hij direct naar Stöhr gaan?

Nee, eerst voor bewijsstukken zorgen. Wat voor soort man was hij. Was hij bij de politie bekend? Zo ja, hoe? Waar zou je inlichtingen over hem kunnen inwinnen?

Karwenna ontbeet, maar in zijn gedachten was hij al niet meer thuis.

"Tot straks", mompelde Helga, toen hij naar de deur liep.

"O," mompelde Karwenna, "neem me niet kwalijk alsjeblieft."

Hij kuste zijn vrouw en verliet zijn woning.

Op het bureau werd hij door Henk begroet, die zei: "Ik heb niet goed kunnen slapen. Ik kon die zaak van dat meisje maar niet uit mijn hoofd zetten."

"Was dat bij jou ook zo?" vroeg Karwenna bijna verbaasd. Hij had het gevoel, dat hij het om de een of andere reden niet prettig vond dat Henk aan het meisje dacht. En diè gedachte verbaasde hem nog meer.

Karwenna vertelde Henk wat hij de vorige avond nog had meegemaakt.

Henk luisterde met open mond van verbazing. "Man," zei hij, "je hebt een enorme vooruitgang geboekt." Hij lachte; zijn gezicht straalde bijna.

"De eerste mogelijke dader hebben we alvast. Dat noem ik nog eens een stap in de goede richting."

”Ja”, zei Karwenna droogjes, ”maar de eerste is niet altijd de beste.”

”Het klinkt allemaal goed wat je zegt”, mompelde Henk. ”Zullen we die knaap eens onder handen nemen?”

Hij had de hoorn van de telefoon al in zijn hand. ”Misschien kennen ze hem beter dan hem lief is.”

Hij liet zich alle gegevens over Rudi Stöhr brengen en informeerde ook in Wiesbaden.

Het leverde niet veel op. In Wiesbaden hadden ze nog nooit van hem gehoord.

In München was hij wel bekend. Verschillende procesverbalen wegens het veroorzaken van overlast; procesverbalen wegens het verstoren van de openbare orde. Verkeersovertredingen.

”Het lijkt er veel op, dat hij zich niet graag aan de voorschriften houdt”, zei Henk. ”Ik vraag me af waarom niet.”

”Teveel geld”, mompelde Karwenna. ”Geld maakt de meeste mensen overmoedig. Het geeft hen meer rechten dan anderen.”

”Dat kan ik me goed voorstellen”, lachte Henk. ”Ik geloof dat ik ook daartoe zou neigen.” Hij werd weer ernstig. ”Maar uit alles blijkt dat Stöhr nog nooit gewelsdaden heeft gepleegd.”

Karwenna greep naar de telefoon en liet zich met Stöhr doorverbinden. Maar de telefoon werd uiteindelijk door de butler opgenomen.

”Hoe heet u eigenlijk?” vroeg Karwenna. ”Ik ben gisteravond vergeten uw naam te vragen.”

”Schulz, gewoon Schulz”, zei de butler. ”Alfons Schulz. Iedereen noemt me Manni. Ik heb er geen bezwaar tegen als u mij ook zo noemt.”

Maar daar ging Karwenna niet op in. ”Kan ik even met mijnheer Stöhr spreken?”

”Het spijt me,” antwoordde de butler, ”maar Rudi slaapt nog. Het is onmogelijk hem voor tien uur wakker te krijgen. Begrijpt u me goed, als u erop staat zal ik hem wakker maken, maar hij zal niet in een goede stemming zijn. Ik bedoel, dat u dan weinig aan het gesprek zult hebben.”

Karwenna zweeg.

"U hoort me toch wel?" vroeg de butler enigszins bezorgd. "Ik heb u toch al verteld dat ik ben opgeleid door een politiebrigadier. Ik sta aan de kant van de politie."

"Dat is fijn", antwoordde Karwenna. "Ik ben om tien uur bij u."

"Dat is goed. Ik zal ervoor zorgen dat hij dan fit is", zei de butler. Karwenna legde de hoorn op de haak.

★

Precies om tien uur belde Karwenna aan bij het tuinhek. Hij vond het geen prettig idee dat op datzelfde ogenblik de monitor zou worden ingeschakeld.

Een zoemtoon vertelde hem dat het tuinhek open was. Hij duwde het hek open en liep het pad op, dat naar de voordeur leidde. In zijn verbeelding zag hij zichzelf op het scherm van de monitor, die diende om het huis te bewaken.

De butler opende de deur. "Komt u binnen," zei hij vrolijk, "u bent erg stipt moet ik zeggen." Hij keek op zijn horloge. "Geen minuut te vroeg, geen minuut te laat. Weet u dat zoiets me wel bevalt? Ik heb het ook nodig. Orde. Dat heb ik broodnodig."

Hij ging Karwenna voor naar de hal.

"En dat heb ik hier wel, tenminste tot op zekere hoogte." Hij grijnsde: "Niet opstaan voor tien uur. Voor het ontbijt altijd een glas champagne met sinaasappelsap. De jaloezieën slechts half optrekken. Telefoongesprekken niet aannemen voor elf uur."

Hij lachte. "Orde en regelmaat. Ik kan u verzekeren dat dat erg plezierig is."

Hij keek Karwenna vriendelijk aan.

Karwenna had de vorige avond niet veel aandacht aan de butler geschonken. De man was inderdaad nogal fors en had een door sport getraind lichaam. Hij had blond haar en een erg bleke huid. Zijn gelaatstrekken waren een beetje grof. Hij was zeker geen fijngevoelige geest, maar dat werd vast en zeker ook niet van hem verwacht.

De reusachtige kerel opende behoedzaam de deur naar de salon. "Rudi," riep hij, "de kommissaris is er." Toen opende hij de deur, liet Karwenna binnen en fluisterde hem nog toe: "Hij is in een slecht humeur. Daarom praat ik nogal zachtjes. Hij kan geen harde stemmen verdragen. Denkt u daaraan."

Rudi Stöhr droeg een felblauwe, geruite broek, zoals Amerikaanse golfspelers die soms dragen. Daarop droeg hij een blauw zijden overhemd met een enorme kraag. Hij stond bij de schoorsteen en draaide zich om toen hij Karwenna hoorde binnenkomen.

"Goedemorgen", zei Karwenna. Hij deed geen enkele moeite zachter dan normaal te praten en hij zag dat Rudi Stöhr enigszins ineen kromp.

"Ik heb niets tegen de politie," mompelde Rudi Stöhr, "maar 's morgens vroeg ben ik nooit zo goed te spreken." Hij keek Karwenna met een klaaglijke blik aan. "Maar daar had u zich toch niet door laten afschrikken, wel?"

"Nee, dat klopt."

Zachtjes vroeg Rudi Stöhr: "Wat wilt u?" Hij wachtte het antwoord niet af en zei: "Ik weet al waarom u komt. Ik kan het wel raden. Kobby Fenn heeft met u gesproken."

"Inderdaad."

"Over Carola en mij?"

"Ja."

Rudi Stöhr ging zitten. Hij was werkelijk erg klein, bijna tenger. Het overhemd kon niet verhullen, dat Rudi Stöhr het lichaam van een puber had.

"Ik heb niet geslapen," zei hij enigszins toonloos, "ik ben klaarwakker." Hij richtte zijn hoofd op: "Wat heeft Kobby Fenn verteld?"

"Dat u Carola snikkend en tandenklapperend uw liefde heeft verklaard."

"Dat klopt", antwoordde Rudi Stöhr eenvoudig. Hij verhief

zijn stem helemaal niet. Hij protesteerde ook niet en hij maakte zelfs geen ironische opmerkingen. Hij sprak ronduit en herhaalde: "Ja, dat klopt. Het was een krankzinnige geschiedenis; zoiets is me nog nooit eerder overkomen."

Hij stak een sigaret op.

Karwenna zag, dat hij de man niet hoefde aan te sporen te spreken. Stöhr wilde praten.

"Ik geef vaak van zulke feesten, zoals Kobby u heeft beschreven. Als u me vraagt waarom..." Hij haalde zijn schouders op. "Dan kan ik daarop geen antwoord geven. Verveling wellicht?"

Hij scheen het zichzelf af te vragen en schudde toen ontkennend zijn hoofd.

"Nee, eigenlijk niet. Ik kan er zelf niet achterkomen waarom. Ik haat namelijk alles wat met bruiloften te maken heeft. De gedachte alleen al bezorgt me kippevel. Eerlijk, zo is het. Ik heb een krankzinnige angst om voor een altaar te staan en te trouwen, echt te trouwen, bedoel ik. En toch heb ik dit toneelstuk al verschillende keren opgevoerd." Hij vertrok zijn gezicht tot een grijns. "Vanwege het grote plezier dat ik eraan beleef als ik de dame na gebruik het huis uit kan smijten."

Nu had hij weer een boosaardige, ironische blik in zijn ogen.

"Burgerlijke verontwaardiging misschien?" vroeg hij aan Karwenna.

Karwenna antwoordde niet.

Rudi Stöhr hield het niet langer uit in zijn fauteuil. Hij stond op en begon op en neer te lopen.

"Een week geleden was het weer zo ver. Ik had er weer zin in. Ik had een fantastisch goede dominee. Kent u Peter Schenk? De toneelspeler?"

"Nee," vroeg Stöhr verbaasd, "gaat de politie dan niet af en toe naar de schouwburg?"

"Nee," zei Karwenna. "Misschien ga ik nog wel eens bij een bijzondere gelegenheid. Maar het leven heeft me zo al genoeg te bieden."

Het leek alsof Stöhr over zijn woorden nadacht. Toen knikte hij: "Misschien hebt u wel gelijk. Maar die Schenk was een prima dominee. Hij hield een toespraak over de betekenis van het huwelijk -- ik kan u verzekeren, dat het werkelijk ontroerend was, ik had tranen in mijn ogen van het lachen, zo ontroerend was het."

Stöhr zweeg en bleef opeens onbeweeglijk staan; alleen de plooien in zijn zijden overhemd bewogen nog.

"Ik had dus een meisje opgeduikeld, maar het heeft weinig zin daarover nog te praten. De lol begon goed, maar plotseling..."

Hij maakte de zin niet af en vertrok zijn gezicht. Hij had moeite met ademhalen.

"Plotseling zag ik Carola. Ik kende haar al langer, ik gelooof al een jaar. Kobby trok veel met haar op. Ik had haar nog nooit goed aangekeken. En opeens deed ik dat..."

"Wat deed u?"

"Haar goed aankijken. Ik kan u onmogelijk beschrijven wat er met me aan de hand was. Het leek wel alsof ik haar toen pas voor het eerst zag. En plotseling wist ik het: zij is het helemaal. Alsof dat toen pas tot me doordrong en dan nog in een fractie van een seconde; het kwam als een donderslag bij heldere hemel."

Stöhr sloeg zijn handen voor zijn mond. Het leek wel alsof hij zo wilde bereiken dat zijn onderlip zou ophouden te trillen.

"Ik zag alleen haar nog maar. Alle anderen zag ik niet meer. Alleen Carola nog maar. Alle anderen waren als het ware in een nevel gehuld."

Hij zweeg en wachtte even voordat hij verder ging: "Die tante uit het noorden heb ik door Manni laten afvoeren. Toen heb ik Carola gevraagd: Doe mee, doe mee met het spel, het is maar een grapje, het heeft niets te betekenen en zal nooit iets te betekenen hebben, maar speel het spelletje mee."

Er viel een lange stilte. Karwenna bleef rustig zitten. Hij nam de vreemde omgeving waarin hij zich bevond en die zo in strijd was met zijn eigen smaak, in zich op. Hij hield zijn blik op Stöhr gericht en zag de man voor de met rood fluweel beklede wanden staan en voor zijn schilderijen, waarvan de waarde wel uit de massief gouden lijsten bleek.

"Ze deed inderdaad mee", ging Stöhr verder. "En zal ik u

eens wat vertellen? Opeens kreeg alles een andere betekenis. Ik heb goed naar Schenk geluisterd en eenklaps klonk alles wat hij zei erg reëel, hoewel hij precies dezelfde onzin vertelde als voorheen. Maar deze keer nam ik hem serieus."

Stöhr was steeds harder gaan praten. "Heel plotseling nam ik ieder woord serieus. Ik keek Carola aan en dacht..." -- hij begon steeds langzamer te spreken -- "ja, dat klinkt goed. Wat daar gebeurt is iets fantastisch; het doet me goed, het raakt me, het verandert me." Zijn stem trilde plotseling en hij stootte de woorden nu krachtig uit: "Ik bedacht opeens hoe mooi het allemaal kon zijn als het waar was, het hele schouwspel zou dan geweldig zijn. Ik heb Carola opgetild en haar naar de slaapkamer gedragen. Wat ik toen voelde kan ik u echt niet beschrijven. Ik voelde me zo opgewonden als ik me nog nooit had gevoeld. Ik was nauwelijks samen met haar in de slaapkamer, of ik heb het haar gezegd. Ik kan me niet meer precies mijn woorden herinneren en misschien heb ik ook wel gehuild, daar heb ik geen flauw idee van, maar het kan waar zijn. Ik heb tegen haar gezegd: Kom, laten we het echt doen; ik wil met je trouwen, laten we morgen alles in orde maken. Ik houd van je, ik houd van je..."

Zijn stem stierf weg om plaats te maken voor een nogal zuur glimlachje. "Ik geloof dat ik dat echt gezegd heb: "Ik houd van je!" Hij ademde zo diep dat zijn borst zichtbaar uitzette. "Kunt u zich zulke woorden uit mijn mond voorstellen?"

Hij grinnikte.

Zijn lachen ging over in een hoestbui.

"Maar," -- hij strekte zijn armen uit --"... ik heb die woorden echt gesproken. Een groot aantal mensen is er getuige van geweest."

"De microfoon stond nog aan."

"Dat klopt. Toen ik het merkte heb ik het uitgezet, maar op dat moment kon het me eigenlijk weinig schelen."

"Wat zei Carola?"

Er viel opnieuw een lange stilte. Stöhrs blik liet Karwenna niet los.

"Ze zei nee. Ze zei: Het is erg aardig van je, Rudi, maar ik ben niet van plan te trouwen; voorlopig in ieder geval niet. Ze zei: Ik houd niet van je."

Karwenna zat wat afwezig voor zich uit te staren en probeerde zich de situatie voor te stellen.

"Op die manier", mompelde Stöhr. "Ze zei het heel rustig en heel ernstig. Ze wilde me niet kwetsen. Ze zei..." -- het leek wel alsof hij haar woorden letterlijk wilde herhalen, en alsof hij dat al veel vaker had gedaan -- "Ik geloof dat je meent wat je zegt en dat is bij jou maar heel zelden het geval; anders zeg je alleen maar datgene waar je op dat moment zin in hebt. Nu niet, nu heeft alles wat je zegt een bijzondere klank; je bent eerlijk. En dat vind ik prettig. Ik geloof dat ieder mens op zoek naar eerlijkheid is, het gevoel - het woord dat geen dubbele bodem, geen echo heeft omdat alles precies bij elkaar past. Ze lachte terwijl ze dat zei. Ze meende het. Ze sloeg haar armen om me heen. Ze vergat helemaal dat ik haar iets had gevraagd en dat ik op een antwoord wachtte. "Luister," zei ik, "ik wil met je trouwen."

"Er viel een lange stilte. "Ze zei nee. Ze was zelf nog op zoek naar dat gevoel, dat gevoel van absolute eerlijkheid. Ze had het nog niet gevonden. Ze zei: Ik open nog teveel deuren, ik ben te nieuwsgierig, ik wil steeds maar weten wat er achter alle deuren zit. Het is erg slecht voor een huwelijk als de vrouw steeds maar naar deurknoppen kijkt..."

Rudi Stöhr lachte.

Toen ebde zijn lach weg en bleef hij kalm staan. Het leek wel alsof de woorden die hij had gesproken al zijn weerstand en energie hadden verbruikt.

"Dat was het -", mompelde hij. "Wilt u nog meer weten?"

Karwenna bleef een beetje afwezig staan.

"Hoe reageerde u op wat ze zei?"

Zachtjes zei Stöhr: "Ik was verdrietig. Maar wat kon ik doen? Zij interesseerde zich niet voor mij. Ook mijn geld was voor haar van geen enkel belang. Totaal onbelangrijk." Hij voegde eraan toe: "Ik was nogal teneergeslagen."

Hij keek plotseling op. "Waarom bent u eigenlijk hierheen gekomen?"

”Omdat,” zei Karwenna, ”u zich in aanwezigheid van een groot aantal mensen belachelijk hebt gemaakt.”

”O ja?” vroeg Rudi Stöhr plotseling.

”Ja, dat hebt u gedaan. Iedereen heeft gehoord wat u hebt gezegd, ze hebben u horen huilen, u horen klappertanden. Een meisje heeft u afgewezen, heeft u aan spotternij blootgesteld, heeft u vernederd.”

”Het motief?” mompelde Stöhr.

”Gekwetste ijdelheid.”

Stöhr bleef heel kalm staan, hief toen zijn hoofd op en het enige wat hij zei was: ”Hm.”

Hij liep de kamer door en ging vlak voor Karwenna staan. Zijn blik werd plotseling onpeilbaar. Karwenna kreeg de indruk dat er op dat moment iets belangrijks plaatsvond, maar hij wist niet wat.

Stöhr speelde met zijn handen en zei toen weer peinzend: ”Hm.” Hij scheen zijn krachten te herwinnen, hij werd wat levendiger, het leek wel alsof hij weer wakker werd.

”Ja”, zei hij. ”U bent van de politie, u hebt ervaring met moordzaken.”

Hij grijnsde. ”Het heeft weinig zin u tegen te spreken.” Hij leek zich ergens over te amuseren. Hij haalde zijn schouders op. ”U hebt mij iets gevraagd en ik heb u een antwoord gegeven. Wat kan ik nog voor u doen?”

Karwenna keek de man doordringend aan, maar kon er niet achterkomen wat er in Rudi Stöhr omging.

”Dan rest me alleen nog de vraag, waar u gistermiddag om zes uur was.”

Stöhr opende zijn mond. De vraag trof hem als een mokerslag.

”Ik? Waar ik was...?”

Hij bleef een tijd lang zwijgend staan.

”Laat me eens nadenken”, zei hij toen. ”Weet u, zes uur ’s middags is eigenlijk een tijd van niets. Het is geen dag meer, maar het is ook nog geen avond. Daarbij komt nog dat de dag voor mij pas ’s avonds begint. Dat kunt u zich waarschijnlijk nauwelijks voorstellen.”

Plotseling liep hij naar deur.
"Manni!" riep hij.
De reusachtige butler verscheen zo snel, dat het leek alsof hij achter de deur had staan wachten.
"Ja, Rudi?" vroeg de butler, die van de een naar de ander keek, omdat hij waarschijnlijk een idee probeerde te krijgen van wat er aan de hand was.
"Hij heeft mij gevraagd waar ik gistermiddag om zes uur was. Ik heb gezegd, dat ik hier thuis was en dat jij dat kunt bevestigen."
"Aha", mompelde Schulz.
"Dat is onjuist", zei Karwenna langzaam. "U hebt me nog niet verteld, dat u hier in huis was."
Stöhr maakte een handbeweging naar Schulz.
"Ja, je was hier," zei de butler. "Je hebt hier gegeten, je hebt naar je nieuwe platen zitten luisteren. Ik heb nog whisky voor je ingeschonken."
"Was u met mijnheer Stöhr alleen?" wilde Karwenna weten.
"Ja, wij waren met z'n tweeën."
"Dit beschouw ik als een verklaring," zei Karwenna langzaam, "die u zult moeten bevestigen."
"Daarop had ik al gerekend", zei de butler. "Ik ben bekend met politiewerk. Dat heb ik u, geloof ik, al eerder verteld. Zal ik nu gelijk een verklaring ondertekenen?"
"Nee, nog niet. Mag ik eerst uw wapen zien?"
"Mijn wapen?" vroeg de butler verbluft.
"U hebt er toch een?"
"Ik heb er twee", antwoordde de butler duidelijk geïnteresseerd. "Waarom wilt u ze zien?"
Karwenna antwoordde niet.
"Komt u maar mee" antwoordde Schulz. "Er ligt er een op mijn kamer en de andere ligt in een kast in de hal."
Karwenna ging met Schulz mee naar zijn kamer. Deze bevond zich op de begane grond, precies naast Rudi Stöhrs slaapkamer.
Schulz scheen het prettig te vinden hem zijn kamer te kunnen laten zien.

”Nou, wat vindt u ervan?” vroeg hij. ”Een uitstekende kamer nietwaar? Uitzicht op de tuin, wollen vloerbedekking op de grond, een heel duur soort. Weet u wat voor schilderijen ik daar aan de muur heb hangen? Dat daar is een Corot.”

”Corot?”

”Die is heel wat waard. Duizenden, geloof ik. Hij heeft lange tijd in de salon gehangen. Rudi was erop uitgekeken. Nu hangt hij bij mij. Als mijn moeder nog had geleefd, zou ik haar hebben geschreven dat ik een Corot boven mijn bed heb hangen.”

”Maar wie is in vredesnaam Corot?” vroeg Karwenna.

”Een of andere Franse schilder, een dwaas figuur.”

Hij duwde een deur open. ”Hier is mijn badkamer. Moet u eens naar die tegels kijken.”

Hij deed het licht aan.

”Ze glanzen ongelooflijk als het licht erop schijnt.” Schulz genoot van de aanblik en wendde zich toen weer tot Karwenna.

”Hier is - het. Een Smith & Wesson. Een Chiefs Special, de M60, kaliber achtendertig.”

Hij haalde het wapen uit een leren holster.

”Draagt u zo’n ding?” vroeg Karwenna.

”Ja, dat moet ik wel. Ik heb een vergunning. U moet weten dat Rudi voortdurend dreigbrieven ontvangt. Ze willen hem om het leven brengen of ontvoeren. Daarom heb ik deze baan gekregen en een vergunning om een wapen te dragen. Ik moest een psychologische test afleggen bij Gerhardsen. De uitslag luidde één-a, geen minpunten. Iedereen weet dat ik deze bodyguard bij me heb.”

Karwenna nam het wapen in zijn hand. Het was een klein, handig wapen. Kaliber achtendertig. Daarmee kon je niet veel beginnen. Nee, dit was niet het wapen dat Karwenna zocht.

”Mag ik het andere wapen ook zien?”

”Ja, komt u maar mee...”

Schulz draaide zich om. Rudi Stöhr stond op de drempel. Schulz lachte. ”Ik heb hem juist de Smith & Wesson laten zien. Hij heeft me nog niet verteld waarom hij ze wil zien.”

Karwenna volgde Schulz die terug naar de hal liep. Rudi Stöhr liep hen beiden achterna, alsof hij in het geheel niet geïnteresseerd was. Hij keek hen verstrooid na.

Schulz betrad de hal, liep naar de oude kast toe en voelde met zijn hand op de bovenkant van de kast.

"Wat zoekt u?" vroeg Karwenna.

"De sleutel van de la", zei Schulz. "Het andere wapen ligt in de bovenste schuifla."

Hij vond de sleutel en wilde er de bovenste schuifla mee openen, maar deze bleek helemaal niet op slot te zitten.

"Wat krijgen we nu?" vroeg Schulz verbouwereerd,terwijl hij de schuifla opentrok om erin te kunnen kijken. Hij trok de schuifla helemaal uit de kast. Hij keek bijna geschrokken op. "Het ligt er niet meer."

Schulz maakte nog steeds een verwarde indruk. "Weet u, het wapen ligt hier altijd, altijd op deze vaste plaats. Ik heb het wapen nog nooit ergens anders opgeborgen, zodat ik het gelijk bij de hand heb, hier bij de deur."

"En nu ligt het er niet meer?" vroeg Karwenna.

"Nee."

Rudi Stöhr stond weer op de drempel.

"Wat was het voor een wapen."

"Ook een Smith & Wesson, maar dan een 9 millimeter, een zelflader." Hij haalde een doos tevoorschijn: "De munitie ligt hier ook." Schulz wierp een hulpeloze blik op Rudi Stöhr.

"Waarom kijk je mij aan?" vroeg deze.

"En de sleutel ligt werkelijk altijd bovenop de kast?" vroeg Karwenna.

"Ja, altijd, maar dat weet geen mens. Dat weet alleen..."

Zijn stem stokte plotseling.

"Je wilt zeggen, dat alleen ik het weet", zei Rudi Stöhr.

"Ja, het spijt me Rudi."

"Waarom zou het je moeten spijten? Het pistool is verdwenen, maar daar heb ik niets mee te maken."

"Wanneer hebt u het pistool voor het laatst gezien?" vroeg Karwenna.

De butler zweeg even. Men kon zien dat hij zijn hersenen pijnigde. Hij keek eerst Rudi Stöhr aan en toen Karwenna. Het leek wel alsof hij begreep hoe belangrijk deze vraag was. En hij wilde geen fouten maken.

"Nou, geef eens antwoord", riep Rudi Stöhr ongeduldig.

De butler mompelde: "Ik had er al lang niet meer naar gekeken."

"Kunt u dat wat nauwkeuriger aangeven?"

"Niet precies."

"Gisteren, eergisteren, drie dagen geleden?"

"Nee -", mompelde de butler. "Ik heb het wapen een dag of tien geleden schoongemaakt, maar daarna heb ik er niet meer naar gekeken."

"Tien dagen geleden?"

De butler was bang dat hij een vergissing had gedaan. "Rudi," zei hij zacht.

"Wat, wat", zei Rudi Stöhr. "Je hebt een verklaring afgelegd. De kommissaris moet erop kunnen vertrouwen dat het klopt."

De butler was nog steeds helemaal in de war. "Iemand moet dat wapen hebben meegenomen. Misschien was er toch iemand die wist dat het pistool hier lag en waar de sleutel lag. We hebben hier altijd zoveel mensen over de vloer, die maar komen en gaan... En mensen die niet altijd -"

"Voorzichtig, voorzichtig", kwam Stöhr tussenbeide.

"Ja, maar toch moet het me van het hart dat er soms echte schurken onder zitten. Neem me niet kwalijk, Rudi. Niet iedereen is zuiver op de graat. Ik moet hen voor jouw bestwil soms heel nauwkeurig opnemen. Dat ben ik je verschuldigd."

"Ach, geeft niet", zei Rudi verdraagzaam. "Ik neem je niets kwalijk."

Maar hij keek Karwenna nieuwsgierig aan.

"Wat gaat er nu gebeuren? Er is hier een pistool verdwenen. Windt u zich daarover op?"

"Ja, daar wind ik me over op", zei Karwenna. "Ik heb alle gegevens nodig, het nummer, het jaar waarin het gemaakt is, de wapenvergunning."

"Ja," knikte de butler ijverig, "dat zal ik allemaal direct voor u halen. Geen enkel probleem, ik heb alles netjes bij elkaar liggen."

Hij verdween.

Rudi Stöhr liep weer terug naar de salon. Hij schonk zichzelf aan de bar iets te drinken in. Toen draaide hij zich om en keek Karwenna aan.

"U ziet eruit alsof er iets gebeurd is", mompelde hij.

"Misschien is er ook wel iets gebeurd."

Rudi Stöhr nam een slok en stak een sigaret op. Zijn blik was onscherp en zijn bewegingen waren traag.

"Nou ja", zei hij vaag.

De butler kwam weer binnen. Hij had alle gegevens bij zich. "Lieve hemel," mompelde hij, "ik ben er nog steeds ondersteboven van." Hij keek naar Stöhr.

"Ik zou het kunnen begrijpen als je me eruit smeet, Rudi. Zoiets mag gewoon niet gebeuren. Ik ben hiervoor verantwoordelijk. Het was stom om de sleutel op de kast te leggen. Dat is te gemakkelijk. Het was een beetje naïef van me."

Karwenna dacht na en wendde zich toen tot de butler: "Wilt u me even uitlaten?"

"Het beste, kommissaris", zei Rudi Stöhr.

De butler begeleidde Karwenna tot op de straat Karwenna opende zijn autodeur en wende zich tot Schulz.

"Was u aanwezig bij het feest, dat een week geleden werd gehouden?"

"U bedoelt de bruiloft-?"

"Ja, de bruiloft, daar bent u toch ook bij geweest?"

"Ja, natuurlijk, ik ben er altijd bij. Waar Rudi is, ben ik ook. Om ervoor te zorgen dat hem niets overkomt."

"U hebt ook gehoord, wat Rudi Stöhr tegen Carola zei?"

"Dat kwam toch over de luisprekers.Ik heb het net als alle anderen gehoord." De butler keek Karwenna ongelukkig aan. "Waarom ondervraagt u me hier op straat?"

"Hebt u Rudi na afloop gezien?"

"Ja, natuurlijk. Eerst kwam Carola naar buiten. Ze reed met Kobby Fenn mee naar huis. Alle anderen bleven nog. Ze stonden op Rudi te wachten."

"Kwam hij?"

"Ja, en hij werd in koor begroet, iedereen heeft hem gefeliciteerd."

"Heeft hij toen gezegd, dat Carola zijn huwelijksaanzoek heeft afgewezen?"

"Nee. Dat - dat zou niemand hebben geloofd." Hij sprak vol vuur: "Moet u zich toch eens indenken: een kans uit duizenden voor zo'n meisje."

"Hoezo kans? Wat is er zo bijzonder aan Rudi Stöhr? Hij is maar een miserabel dwergje..."

Karwenna voelde tot zijn verbazing haatgevoelens bij zich opkomen.

"Wat, wat?" De butler was stomverbaasd. "Hoe ziet u dat dan? Dat mag u toch zo niet zien?" Hij verhief zijn stem: "Hij heeft miljoenen achter zich staan. Hij kan zich alles permitteren. Nagenoeg alles. Dan speelt het toch geen rol meer hoe iemand eruit ziet? Hij ziet er inderdaad niet bijzonder aantrekkelijk uit. Hij is te klein; ik weet waarover ik praat, want ik zie zijn lichaam immers als ik hem in bad doe..."

"U baadt hem?"

"Ik baad en masseer hem, maar dat is toch niet belangrijk? Hij heeft alles in zijn leven..." Nu trilde de stem van de butler bijna. "Hij heeft alles wat zijn hartje begeert."

Hij lachte onrustig en voegde er droogjes aan toe: En de vrouw met wie hij eens zal trouwen, zal ook alles hebben."

"Oké, de gasten vertrokken dus en u bleef alleen met hem achter. Hoe gedroeg hij zich?"

"Moet u eens luisteren," protesteerde de butler, "ik heb een vertrouwensrelatie met Rudi! Bent u me hier soms aan het ondervragen?"

"Ja, u bent verplicht verklaringen af te leggen", antwoordde Karwenna agressief.

De butler stamelde: "Dit is dus een verhoor?"

Karwenna prikte met zijn wijsvinger naar de borst van de butler. "Ja, het kan namelijk zijn dat het wapen dat u kwijt bent, werd gebruikt om Carola Bork neer te schieten."

De butler werd lijkbleek. "Wat bedoelt u?" fluisterde hij terwijl hij diep ademhaalde: "Maar waaraan denkt u dan -?" Hij antwoordde zelf: "Bedoelt u soms dat Rudi Stöhr-?" Hij maakte de zin niet af.

"Ja, dat is heel goed mogelijk, dat is heel goed mogelijk." Karwenna zei tegen de butler: "Heeft u er enig idee van wat de verdwijning van dit wapen betekent? We hebben de kogel, die door Carola's lichaam is gedrongen en in de carosserie van haar auto is blijven steken, gevonden. Die kogel had een kaliber van negen millimeter. En in dit verband heb ik een vraag aan u: U houdt toch schietoefeningen? Waar doet u dat? Van welke afstand schiet u? Zijn er misschien nog kogels die u hebt verschoten? Of hulzen? Zodat we die als vergelijkingsmateriaal kunnen gebruiken?"

De butler was volkomen sprakeloos en scheen boos te worden. De blik in zijn lichtblauwe ogen dwaalde door de tuin; het leek wel alsof hij plotseling Karwenna's blik probeerde te ontwijken.

"Ik oefen op de schietbaan in Perlach," zei Schulz, "maar daar zult u geen kogels vinden. Die zitten allemaal in de kogelvanger, samen met talloze andere kogels."

"Ik herhaal mijn vraag", zei Karwenna zakelijk. "Wat gebeurde er hier in huis toen u met Rudi Stöhr alleen was?"

"Ik zal uw vraag met alle genoegen beantwoorden", mompelde de butler. "Ik weet wat ik de politie verschuldigd ben. Rudi was - nogal opgewonden, hij verkeerde in een heel vreemde stemming, nogal teneergeslagen. Ik had hem nog nooit eerder zo gezien. Hij ijsbeerde de kamer op en neer, zoals de slinger van een klok, die onophoudelijk heen en weer gaat."

"Wat zei hij?"

De butler slikte een aarzelde even. Het was duidelijk dat hij met tegenzin verder sprak. "Hij vervloekte god en de wereld."

"Vervloekte hij ook Carola?"

"Ja, ook haar", antwoordde de butler ongelukkig.

"Kunt u zich herinneren wat hij precies zei? Welke woorden gebruikte hij?"

"Dat weet ik niet", antwoordde de butler en hij maakte een volkomen uitgeputte indruk. Hij keek Karwenna ongelukkig aan. "Ik ben erg gesteld op de politie", mompelde hij. "Ik voel me zelf ook een soort politie-agent. Ik heb ook iemand om te beschermen-," Hij zweeg.

Karwenna had de autodeur geopend en bleef de hele tijd bij de open deur staan. Af en toe keek hij naar het huis. De voordeur stond nog open, maar Rudi Stöhr was nergens te bekennen.

"Ik herhaal mijn vraag: Waar was Rudi Stöhr gistermiddag om zes uur?"

"Hier in huis", antwoordde de butler aarzelend. Zijn stem trilde.

"Bent u er soms niet helemaal zeker van?"

"Hoogstens voor zover dat het tijdstip betreft", mompelde de butler. "Ik heb uiteraard niet voordurend op de klok gekeken."

"Dus u kunt niet onder ede verklaren dat uw verklaring juist is?"

De butler leed duidelijk onder de situatie. "Nee", zei hij tenslotte. "Ik ben zelf naar de stad geweest om boodschappen te doen voordat de winkels dicht gingen. Ze sluiten om half zeven."

"Dat betekent dus dat u om zes uur niet thuis was?"

"Ja, dat - dat zal wel kloppen", gaf de butler toe.

Op dat moment verscheen Rudi Stöhr in de deuropening. "Hallo," riep hij, "staan jullie nog steeds te praten?" Hij kwam langzaam naderbij en liep de straat op. Hij richte zich tot de butler: " Wat wil hij weten?"

De butler antwoordde niet en keek met een ongelukkige blik in zijn ogen naar Karwenna.

"We hebben niet over het weer staan praten", zei Karwenna, terwijl hij in zijn auto stapte en naar het bureau terugreed.

★

Karwenna voelde zich tamelijk opgewonden. Zijn hersenen werkten koortsachtig en hij werd overspoeld door zijn eigen gedachten. Het pistool. Wat had dat te betekenen? Was dat

misschien het moordwapen?
En die vreemde bruiloft.
Karwenna ergerde zich, hij voelde zich op de een of andere manier in verwarring gebracht. Waarom? vroeg hij zich af en hij gaf zelf het antwoord: omdat het zo'n vreemde zaak was, een zaak die hij moeilijk kon begrijpen.
Een bruiloft als gezelschapspel?
Hij schudde zijn hoofd alsof hij een spookbeeld wilde verjagen. Hij was gewend te zoeken naar zakelijke en begrijpelijke motieven zoals wraakzucht, hebzucht, jaloezie.
Maar wat was het in dit geval? Op welke terrein begaf hij zich? Hij voelde zich erg onzeker. Hij had zich in feite nog nooit zo onzeker gevoeld. Deze playboy, een magere knaap met een ingevallen borst, een gerimpeld hondengezicht en donkere ogen, die geen enkele oprechtheid en hartelijkheid uitstraalden. Het was onmogelijk die man te plaatsen.
Karwenna was normale mensen gewend. Zelfs misdadigers waren voor hem normale mensen. Hen kon hij begrijpen.
Ze hadden allemaal heel begrijpelijke motieven voor hun misdaden. Die motieven waren zo begrijpelijk, dat Karwenna niet in staat was de normale, gemiddelde wetsovertreder te minachten. Ze waren bijna hetzelfde als zijn eigen vrienden.
Hij overpeinsde deze gedachten en bevestigde hem. Ja, ze waren als zijn vrienden. Mensen die uit hartstocht een misdaad begingen, de hebzuchtigen, de winstzoekers; hij kende hun spel, hun beweegredenen, hun uitvluchten en hun motieven.
Maar wat voor type was Rudi Stöhr daarentegen?
Karwenna reed de binnen plaats van het hoofdbureau op. De beambte bij de ingang groette hem.
Karwenna was zo verstrooid dat hij de groet niet beantwoordde, de binnenplaats opreed en doodstil in zijn auto bleef zitten.
De beamte die de wacht hield kwam bezorgd aansnellen. "Is er iets niet in orde, kommissaris?"
"Nee, nee bedankt", antwoordde Karwenna, waarna hij uitstapte en naar de derde verdieping liep.
Hij bevond zich nu in een vertrouwde omgeving en hij begon

zich direct beter te voelen.

Hij liep zijn kamer binnen. Ja, hier hoorde hij thuis. Zijn bureau, zijn stoel, de muren, zijn collega's. Hij voelde zich hier beter op zijn gemak dan in zijn eigen huis.

Henk kwam binnen.

Karwenna was blij hem te zien en legde een hand op zijn schouders. "Is er wat gebeurd?" vroeg hij bezorgd?

"Nee, nee, ga zitten."

Karwenna vertelde wat hij had meegemaakt en deed zo nauwkeurig mogelijk verslag van zijn onderhoud met Rudi Stöhr.

Henk kon gewoon niet rustig op zijn stoel blijven zitten en hij sprong overeind. "Is het pistool verdwenen?" riep hij.

"Ja," zei Karwenna, "zo voelde ik mij ook. Ik had ook wel overeind willen springen. Maar," ging hij verder, "wat betekent dit?"

"Het pistool kan zijn gestolen. Rudi Stöhr zal het als vermist opgeven. Maar dan zal het nooit meer worden teruggevonden."

"Man, man," fluisterde Henk, "tot nu toe had ik de zaak niet zo ernstig opgenomen. Maar nu is er een pistool verdwenen. En dan nog wel het pistool van een man die een motief kan hebben. Het is weliswaar geen goed, geen begrijpelijk motief, eerder een merkwaardig en tamelijk vreemd motief, maar toch... ik zou me kunnen voorstellen..." Hij verviel in stilzwijgen.

"Kom op," zei Karwenna ongeduldig, "wat zou je je kunnen voorstellen?"

Langzaam zei Henk: "Ik probeer me de situatie voor te stellen. De hele kring toehoorders - hoeveel waren het er? Zestig? - heeft gehoord dat hij het meisje zijn liefde verklaarde; deze man, een van de meest begeerde vrijgezellen van onze tijd..."

Henk concentreerde zich voor de volle honderd procent. "Men weet niet hoe de zaak is afgelopen, omdat hij de microfoon had uitgezet. Maar het is voor iedereen duidelijk: Rudi's vrijgezellendagen zijn geteld. Nu gaat het echt gebeuren. En wat gebeurt er? Het meisje komt naar buiten en gaat er onmiddelijk vandoor. Rudi aarzelt, komt iets later de slaapkamer uit en iedereen feliciteert hem en de flessen champagne zijn opgemaakt. En dan moet hij zeggen: het gaat niet door, er kan geen sprake van een huwelijk zijn. Ze heeft nee gezegd."

Hoewel Karwenna een afwezige indruk maakte, luisterde hij nauwkeurig naar wat Henk zei.

"Met hem is het gedaan," zei Henk. "Hij heeft afgedaan in zijn kliek. Hij heeft zijn stralenkrans verloren. En voor dat soort types is hun stralenkrans alles wat ze hebben..."

"Ben jij dan zo goed op de hoogte met wat er in die kringen gebeurt?" mompelde Karwenna.

"Ja, ik ken wel een paar van die types. En ik lees de roddelrubrieken in de krant. Daar kun je soms een leuke analyse uit maken."

Henk ging weer zitten en zei: "Hij was het. Rudi Stöhr heeft het gedaan. Hij heeft een pistool weggenomen en is het meisje gaan neerschieten."

"Tja," mompelde Karwenna, "als dat zo is, zullen we het toch moeten bewijzen."

Henk haalde zijn schouders op. "Dat zal wel erg moeilijk zijn. Wat we hebben is niet concreet genoeg. Als er niets nieuws gebeurt zijn we nergens. Wat we nu hebben is voldoende om hem te verdenken. Maar het is niet voldoende om de officier van justitie van zijn stoel te krijgen."

Karwenna zag een briefje op zijn bureau liggen. "Een telefoontje?"

"Ja, van Bork, Carola's vader."

"Wat wilde hij?"

"Hij wilde alleen maar weten of er nog nieuwe ontwikkelingen in de zaak waren."

Karwenna zat er afwezig bij en verzonk in een toestand, die hij zelf zijn creatieve apathie noemde. Toen nam hij de hoorn van de haak.

"Ik ga de man maar weer eens opzoeken", riep hij Henk toe.

Henk mompelde: "Moet je eens luisteren, je doet wel erg veel alleen in deze zaak."

Karwenna was enigszins verbaasd over deze opmerking. "Ja," knikte hij, "daar lijkt het wel op."

"Ik zeg het maar even", antwoordde Henk rustig.

Karwenna liet zich met Bork doorverbinden. Bork was inderdaad thuis en hij was bereid Karwenna te ontvangen.

"Ik had al eerder opgebeld", zei Bork.

"Dat weet ik. Er is niet veel nieuws gebeurd, maar ik zou graag nog een keer met u praten."

"Ja, komt u maar."

Karwenna verliet zijn bureau. Hij vond de laatste blik die Henk hem toewierp niet zo plezierig.

Man, dacht hij, ik weet zelf ook wel dat ik als een gek in het rond ren, zonder al te-veel na te denken over de zin ervan.

Maar had hij een andere keuze?

Er was geen sprake van zakelijke gronden, die het onderzoek in een bepaalde richting stuurden, zodat ze stapje voor stapje hadden kunnen werken en van de ene naar de andere deur hadden kunnen gaan, totdat ze tenslotte de laatste deur zouden openen, waarachter de moordenaar zich verborgen hield.

Karwenna was erg ontevreden met zichzelf en met de hele wereld om zich heen. Op heldere momenten omschreef hij deze toestand als een situatie die verstandelijke maatstaven te boven ging. Sommige gewaarwordingen werden opeens heel sterk, gingen hun werkelijke betekenis te boven, terwijl andere ineenschrompelden. Een soort wisselwerking, die hem bijna gek maakte.

Bork deed zelf open.

De man was van de ene op de andere dag volkomen veranderd. Hij zag er grauw en slapjes uit en leek opeens ook veel ouder. Zijn haar leek plotseling onverzorgd en ongewassen.

Karwenna stak zijn hand uit, alsof hij van plan was hem op de schouder van de man te leggen. "Het spijt me", mompelde hij.

"Ach wat," zei Bork bijna ruw, "u moet hier toch aan gewend zijn? Ziet u dan niet voortdurend mensen, die hulpeloos en radeloos zijn?"

Hij ging Karwenna voor naar de woonkamer.

Midden in de kamer bleef hij staan. "Ik voel me eenzaam", mompelde hij. "Ik heb me nog nooit zo eenzaam gevoeld. Ik ben tot de conclusie gekomen dat harmonie en tevredenheid in dit leven afhankelijk zijn van de relaties die je met anderen mensen hebt. Als je die verliest, stort je in elkaar en beland je in een hel.”

Hij zei dit alles erg onbewogen.

”Nu ben ik alleen. En ik kan u wel vertellen, dat dat een situatie is die niemand uithoudt. Op den duur niet. Je leeft naar de dood toe en wel in een verbazingwekkend tempo.”

Hij opende de drankkast. ”Wilt u iets drinken?”

”Nee.”

”U vindt het toch niet erg als ik wat neem, hè?” vroeg Bork. ”Ik ben nogal aan het eind van mijn krachten. Ik drink, alhoewel ik er niet van overtuigd ben dat het iets helpt. Niets kan mij nog helpen.”

Hij schonk zichzelf een glas jenever in en ging verder: ”Is er nog nieuws? Waaraan heb ik uw bezoek te danken?”

”Ik heb gisteren een fotoalbum gezien. Uw neef liet het me zien. Mag ik het nog even zien?”

Karwenna zei het zonder dat hij er zelf erg in had; hij was helemaal niet van plan geweest ernaar te vragen. Het was een ingeving van het ogenblik en hij raakte er zelf van in de war.

Bork staarde Karwenna verbaasd aan. ”Een fotoalbum? Wat wilt u daar dan mee?” Bork draaide zich gelijk om. ”Alle albums liggen hier. Ik heb ze gisteravond uit Carola’s kamer gehaald en hier beneden opgeborgen.” Hij wees naar een tafel. ”Daar liggen ze.”

Karwenna liep naar de tafel, waarop inderdaad verschillende fotoalbums lagen. Hij stak zijn hand uit. Opnieuw had hij het gevoel dat alles uit elkaar viel. Hij wist niet meer wat boven en beneden was. Hij had het gevoel dat hij zweefde en zijn gevoel voor evenwicht kwijt was.

Bork zei niets en keek Karwenna oplettend aan; hij pakte een van de albums en ging in een fauteuil zitten.

Bork bleef minutenlang staan kijken hoe Karwenna het fotoalbum opensloeg en de foto’s bekeek. Hij verwachtte blijkbaar geen commentaar bij de foto’s en scheen er geheel in op te gaan.

Karwenna zag een foto van Carola op een sportfeestje. Ze droeg sportkleren, een wit sporthemd, een zwart gymbroekje.

Ze liep in het doel, haar borst vooruit, haar lachende gezichtje opgeheven.

Een ander foto: Carola bij het kanoën. Op de Isar. Karwenna herkende de voor deze rivier zo kenmerkende oevers. Een brug op de achtergrond. Welke brug was het? De Grosshesseloher? De Grünwalder? Carola had de peddel in haar hand en zat op haar knieën in de kano. Ze had een badpakje aan, was gebruind door de zon en had weer die onvermijdelijke lach op haar gezicht. Die open, hartelijke lach.

Bork ging achter Karwenna staan. "Ze is lange tijd helemaal gek van kanovaren geweest. Ze heeft een heleboel hobby's gehad, ze heeft zich voor vele dingen geïnteresseerd."

Karwenna zag Carola in een zeilboot, aan het roer, bij het inhalen van het grote zeil, half omgedraaid en ook deze keer met een lachend gezichtje. Karwenna hield bijna zijn adem in. Hij ademde met kleine teugen in, die niet voldoende waren, zodat hij af en toe eens diep moest ademhalen.

Hij dacht na: Waarom zit ik naar deze foto's te kijken? Waarom doe ik dat? Het heeft niets met mijn werk te maken.

Het helpt helemaal niet. Wat ben ik eigenlijk aan het onderzoeken?

Karwenna probeerde zichzelf niet nog meer van dat soort vragen te stellen.

Langzaam sloeg hij het album dicht en terwijl hij dat deed voelde hij een steek in zijn hart.

Er schoot een idee door zijn hoofd en hij sprak het gelijk uit: "Mag ik de albums meenemen?"

Bork keek hem onderzoekend aan. "Waarom wilt u dat?"

"Er staan niet alleen foto's van haar in, maar ook van vrienden, bekenden, met wie het misschien de moeite waard is kennis te maken."

"Jaja", knikte Bork, "neemt u alles maar mee. Het zijn er vier in totaal."

"Dank u", antwoordde Karwenna, die zich over zijn eigen gedrag verwonderde, maar dat met alle geweld probeerde te negeren en zichzelf dwong op een normale toon te spreken. "Dank u, ik zal u een ontvangstbewijs geven."

”Een ontvangstbewijs?” vroeg Bork met verheven stem.

Karwenna legde de albums neer, maar legde ze zo neer dat hij ze in het oog kon houden, een feit, dat hem opnieuw verontrusste.

”Zat uw dochter nog op school?”

”Ja, ze stond voor haar eindexamen.”

Karwenna stond op. Hij was te onrustig om nog langer stil te kunnen zitten. ”Was ze goed op school?” vroeg hij.

”Ja, weliswaar niet buitengewoon, maar ik maakte me er nooit zorgen over. Ze had een goed begripsvermogen en een goed geheugen.”

”Waar ging haar voorkeur naar uit? Exacte vakken, talen?”

”Dan dit, dan dat”, zei Bork. Hij liep op en neer en het was hem aan te zien dat het hem goed deed over Carola te spreken. Hij leefde op en zijn gezicht kreeg weer wat kleur.

”Ik heb u al gezegd dat ze zich voor veel dingen interesseerde. Ze verdiepte zich altijd zeer intensief in datgene waarvoor ze belangstelling had, alsof er niets meer bestond. Maar dan - wanneer haar belangstelling een beetje begon weg te ebben - richtte ze zich onmiddelijk op iets nieuws; het leek wel alsof ze bang was iets te missen. Als ik het ergens mee mag vergelijken: Ze was net een bij, die uit alle bloemen honing wilde zuigen.” Hij wachtte even en keek Karwenna aan.

”Nu zou ik haast zeggen: Misschien had ze er wel een vermoeden van dat ze vroeg zou moeten sterven.”

Karwenna bewoog zich niet. ”Had ze een nuchter vermogen om te oordelen? Of neigde ze ertoe de dingen te overdrijven? Neigde ze tot dweperij?”

Bork dacht ernstig over deze vraag na en schudde toen zijn hoofd. ”Ze was niet nuchter, noch dweperig.” Hij zocht naar de juiste woorden, die hij niet scheen te kunnen vinden en zei toen: ”Ze is volmaakt.”

”Wat verstaat u daaronder?” wilde Karwenna weten.

”Ze was zoals een mens behoort te zijn.”

Nou, nou! dacht Karwenna bij zichzelf: daar zegt hij nogal wat.

Bork riep: ”Ze hield van het leven. Ze zag het niet over het hoofd. Zij nam het niet als iets vanzelfsprekends aan. Ze was zich er elke dag van bewust dat ze ademde. En dat dat een geschenk van God was." Bork ademde diep in, lachte toen en liep met uitgestrekte hand op Karwenna toe alsof hij van plan was hem aan te raken.

"Ik ben erg dankbaar dat u mij hierover laat praten. Het maakt een groot verschil of je iets denkt of dat je het ook kunt uitspreken. Het is erg prettig iets uit te kunnen spreken."

Ze stonden een tijdje tegenover elkaar en bleven zo lang zwijgen dat het bijna pijnlijk werd.

"Waar kan ik uw neef bereiken?" vroeg Karwenna.

"Thuis. Hij heeft opgebeld om te zeggen dat hij niet zou gaan werken. Hij zei dat hij er niet toe in staat was en dat kan ik me best voorstellen. Ik ben hem er ook dankbaar voor."

Bork gaf Karwenna het adres van zijn neef. "Het is niet ver hier vandaan, een paar straten verderop. Zal ik hem hierheen laten komen?"

"Nee, nee", zei Karwenna afwijzend, terwijl hij met de vier fotoalbums onder zijn arm de kamer uitliep.

Bork bleef bij de deur staan en bedankte hem: "Het was een genoegen", riep hij en herhaalde het nog eens, alsof het erg belangrijk voor hem was dat dat Karwenna duidelijk was.

Karwenna legde de albums op de achterbank en bemerkte vaag een soort voldaan gevoel, een gevoel dat hij wel eens had wanneer hij dacht een goede inkoop te hebben gedaan. Hij reed de straat uit, sloeg twee hoeken om en vond het huis, waar Gunter Bork moest wonen.

Karwenna sloot de auto zorgvuldig af - en weer vroeg hij zich af waarom, want hij had anders de neiging zijn auto opzettelijk open te laten. Deze keer deed hij hem op slot.

De fotoalbums?

Hij lachte flauwtjes en bezorgd liep hij naar het huis toe. Het huis was aanzienlijk kleiner, het leek meer op een huis in een tuindorp, het was tamelijk laag, had een rood pannendak en een paar grote ramen, waar gordijnen voor hingen.

Karwenna belde aan.

De voortuin stond vol met bloemen. Dahlia's in volle bloei,

lichtblauwe asters. Er stonden er zoveel dat het leek alsof het huis in een bed bloemen lag.

De deur ging open. Gunter Bork zag Karwenna, kwam onmiddelijk het huis uit, haastte hem tegenmoet en riep: "Goedendag kommissaris. Ik heb de hele dag al aan u gedacht."

"O ja?" vroeg Karwenna, terwijl hij de jongeman een hand gaf.

"Ja", zei hij, "ik probeer me steeds voor te stellen wat u denkt en wat u aan het doen bent."

Hij bleef plotseling voor de huisdeur stilstaan alsof zijn gedachten het hem niet toelieten nog verder te gaan.

"Wat heeft u vandaag ondernomen?" De blik van de jongeman was gespannen, zijn huid bewoog, klopte en zijn gezicht verried dat hij ademloos op het antwoord wachtte. Toen scheen hij te bemerken dat hij was blijven stilstaan. "Neemt u mij niet kwalijk", zei hij, terwijl hij Karwenna het huis binnenleidde.

In de gang, die heel eenvoudig was ingericht, bleef hij plotseling weer staan.

"Ik moet u wat vertellen", mompelde hij, "ik woon hier met mijn vader. Mijn vader is ziek..."

"Dat heb ik al gehoord."

"O ja?" vroeg de jongeman enigszins verbaasd.

"Uw oom heeft het me verteld."

"Ik begrijp het. Ja, de zaak is zo: Normaal is er elke dag een verpleegster bij mijn vader. Maar soms blijf ik thuis, dan ga ik niet naar mijn werk en neem ik de verzorging over, zodat de verpleegster een vrije dag kan nemen."

"Wat scheelt uw vader?"

De jongeman aarzelde voordat hij antwoordde. "Hij is psychisch niet in orde. Hij is een beetje in de war. Het is niet zo erg dat je van een geestesziekte kunt spreken, hoewel hij ook een tijdje in een inrichting is geweest." Bijna geruststellend en alsof het voor hem belangrijk was het tegen Karwenna te zeggen, voegde hij eraan toe: "Het is niet ernstig. De ziekte is vaak helemaal niet merkbaar. Op het ogenblik niet. U zult er helemaal niets van merken. In ieder geval" - voegde hij eraan toe, - "kan men hem niet alleen laten. Ook nu niet. Als wij iets met elkaar te

bespreken hebben zal hij erbij moeten zijn."
"Dat maakt mij niets uit", zei Karwenna.
De jongeman lachte. "Maakt u zich alstublieft geen verkeerde voorstelling. Hij is een alleraardigste oude heer."
Met deze woorden duwde hij de deur van de huiskamer open en liet hij Karwenna naar binnen gaan.
De huiskamer was klein en gezellig. Door de ramen - waarvoor gordijnen hingen - kon je in de tuin kijken, die weliswaar klein was maar er erg verzorgd uitzag. Het gras was kort gemaaid en egaal groen.
Er kwam een man overeind uit een gele, leren fauteuil.
De man was klein en mager. Zijn kleren slobberden een beetje om zijn lichaam, zodat het leek alsof zijn jasje te groot was. Op zijn gerimpelde hals stond een hoofd, dat aan een noot deed denken, vanwege de bruine kleur, de kaalheid en de strakgespannen huid.
Maar zijn gezicht had een vriendelijke uitdrukking.
Onder de bijna witte wenkbrauwen had hij blauwe ogen. De man had geen haar. Zijn schedel zag er kwetsbaar en breekbaar uit en glom als een spiegel.
"Vader", zei Gunter Bork, "dit is kommissaris Karwenna. Hij onderzoekt de moord op Carola."
"O", zei de man, terwijl hij zijn hand uitstak. Het was een smalle hand, die droog aanvoelde.
Karwenna durfde de hand niet stevig te drukken.
"Goedendag", zei Karwenna, "het is me een genoegen kennis met u te maken..."
De man lachte.
Hij stond wat wankel op zijn benen en het leek wel alsof hij zich voortdurend moest inspannen om zijn evenwicht te bewaren door steeds kleine bewegingen met zijn armen te maken.
"Nou ja, een genoegen", zei hij, "u hebt een zieke man voor u. Voor mij is het een genoegen iemand te zien die ik niet ken. Ik zit hier min of meer opgesloten."
Zijn stem was zwak. Hij sprak langzaam, alsof het hem enige moeite kostte de juiste woorden te vinden.
"Het lijkt hier wel een gevangenis," herhaalde hij, "men pro-

beert mij verborgen te houden voor andere mensen, alsof ze bang zijn dat ik voortdurend onzin uitkraam. Zegt u mij alstublieft, welke indruk maak ik op u?"

Karwenna ademde uit. "Hm," zei hij, "u maakt niet de indruk iemand te zijn die men in een gevangenis moet opsluiten."

"Niet waar", mompelde de oude man met een stem, die als ritselend papier klonk, kleurloos en zonder enige mannelijkheid.

"Waarom bent u gekomen?" vroeg Gunter Bork, terwijl hij er direct aan toevoegde: "Wilt u iets drinken?"

"Nee", antwoordde Karwenna.

"Ik hoop dat u het niet erg vindt dat ik mijn vader even help. Hij drinkt rond deze tijd altijd thee. Eigenlijk alleen maar om beter in staat te zijn een paar tabletten door te slikken."

"Stoort u zich niet aan mij", mompelde Karwenna.

De jongeman verdween en er klonken spoedig daarna geluiden uit de keuken.

De oude man zat Karwenna onverstoorbaar en bijzonder vriendelijk aan te kijken.

"Mijn zoon heeft me over u verteld."

"O ja?"

"Ja, u onderzoekt de moord op mijn nichtje."

De oude man sprak zacht, maar was goed verstaanbaar.

Karwenna dacht: Hoe ziek is die man eigenlijk? Je kon niets aan hem merken. "Hoe goed kende u uw nichtje?" vroeg Karwenna.

"Heel goed," mompelde de man, terwijl hij alleen zijn bleke vingers bewoog, "een allerliefst meisje. Alleen een beetje - hoe zal ik het zeggen-?" Hij leek moeite te doen zich juist uit te drukken, vond de juiste woorden en richtte toen vriendelijk zijn hoofd naar Karwenna op, "- een beetje lichtzinnig. Ze was altijd op weg, ze was altijd op zoek nieuwe mensen te leren kennen, rusteloos, zo mag ik het wel zeggen, zonder ernst, mogelijk ook zonder karakter."

De man sprak met monotone stem, "ik ken haar bijzonder goed, omdat ik haar moeder goed heb gekend. Die was precies hetzelfde: lichtzinnig, rusteloos. Zal ik u eens iets zeggen?" Hij wachtte niet af, maar sprak gelijk verder, "Carola zou waarschijnlijk net als haar moeder zijn geworden en die is op minder prettige wijze aan haar einde gekomen."

"O ja?"

"Ze is er met een musicus vandoor gegaan."

De bleekblauwe ogen van de man bleven nu strak op Karwenna's gezicht gericht, alsof hij daar een rustpunt had gevonden.

"Moet u zich eens voorstellen, met een musicus! Ze heeft van de ene op de andere dag haar man en kind in de steek gelaten. Ik geloof dat ze niet eens haar koffers heeft gepakt. Ze is zonder iets mee te nemen vertrokken..."

Karwenna voelde de blik van de man op zich gericht. Hij hield zelfs zijn handen stil, ze lagen doodstil op de leuningen van de fauteuil. Toen vertrok hij zijn mond en stond op. "Carola begon steeds meer op haar te lijken. Wacht even -." Hij bewoog zich bijna geluidsloos door de kamer, liep naar een kast toe en had plotseling een fotolijstje in zijn handen. Hij kwam naar Karwenna toe en liet hem de foto zien: "Dit is ze."

Karwenna keek naar de foto, die er tamelijk oud uitzag. Op de foto - Carola? "Nou, wat vindt u ervan? Wacht even, dan haal ik even een foto van Carola. Mijn zoon heeft er wel een."

"Laat u maar," zei Karwenna, terwijl hij naar de foto staarde, "ik heb al foto's van Carola gezien." Hij mompelde:

"En dit is ze niet?"

"Ziet u wel -" zei de oude man bijna triomfantelijk, "je kunt ze nauwelijks uit elkaar houden. Dat is haar moeder."

Hij nam met bevende, bleke vingers het fotolijstje van Karwenna over en borg het weer zorgvuldig op.

"Ze is met die musicus naar Rome gegaan en is daar op een afschuwelijke manier aan haar eind gekomen, men heeft haar in de Tiber gevonden. Ze zat helemaal vol met - ja, hoe heet dat spul ook alweer? Het is een verdovend middel..."

Hij liet zijn handen zakken, alsof hij zijn hersens niet langer wilde pijnigen. "Het doet er niet toe wat het was."

Hij liep naar zijn fauteuil, liet zich erin zakken. De man woog nauwelijks iets. Nu zat hij weer rechtop, met zijn handen op de stoelleuningen en keek Karwenna aan.

Gunter Bork kwam binnen met de thee.

"Ik heb hem de foto laten zien", zei de oude man.

"O ja? Waarom heb je dat gedaan-?"

"Ik wilde hem alleen maar laten zien hoeveel ze op elkaar leken."

"Waar is de foto?"

"Ik heb hem weer opgeborgen."

Gunter Bork keek Karwenna met een flauw lachje op zijn gezicht aan. "Dat moeder en dochter op elkaar lijken is niets bijzonders en het helpt u niet verder."

"Nee, niet veel."

De jongeman schonk thee in. De oude man keek oplettend toe, haalde wat pillen uit een doosje, slikte ze zonder moeite door en dronk toen zijn thee.

"Ik ben bij Rudi Stöhr geweest", zei Karwenna.

"Aha," mompelde de jongeman, "dat had ik al verwacht. De hele tijd dacht ik, vandaag zal de kommissaris bij Rudi Stöhr op bezoek gaan. Nou en-?" Gunter Bork stond als aan de grond genageld en keek Karwenna nieuwsgierig aan.

"Heeft Rudi Stöhr een wapen-?" vroeg Karwenna.

De jongeman wierp zijn hoofd naar achteren. Hij opende zijn mond en lachte. "Dat noem ik nog eens een concrete vraag. En u zegt het nog zakelijk ook en zonder enige inleiding. Dus zover bent u al?" Hij knikte. "Er zijn daar in huis pistolen. Alfons heeft er altijd een bij zich. Hij draagt hem hier."

De jongeman stak zijn hand onder zijn linker oksel. "Daarom moet hij altijd een jasje dragen. Alfons is een professional." Nieuwsgierig boog de jongeman zijn hoofd naar voren. "Heeft u het wapen in beslag genomen? Droeg hij het wapen trouwens op die plaats? Heeft hij het tevoorschijn gehaald?"

"Hij heeft het me laten zien. Het is niet het wapen waarmee Carola werd neergeschoten."

De oude man volgde het gesprek aandachtig. Hij keek steeds naar degene, die aan het woord was.

Karwenna zei: "Maar Alfons Schutz bezat nog een tweede

wapen. En dat is verdwenen."

Gunter Bork maakte een verraste, bijna vrolijke beweging. "Verdwenen-? Dat is nog eens nieuws."

"En in dit verband zou ik iets willen vragen: Weet u waar dit wapen gewoonlijk in het huis van Rudi Stöhr werd bewaard?"

De jongeman dacht na. Hij was zo diep in gedachten verzonken dat hij bijna zijn evenwicht verloor. "Waar? U vraagt waar?" Hij klemde krampachtig zijn handen in elkaar. "Ik zou u graag helpen." Hij lachte: "U weet waar. U vraagt het om ergens achter te komen. Klopt dat?"

"Ja, dat klopt."

"Hij heeft het in de kamer gehad. Ergens in de kamer. Ik herinner mij dat er wel eens over gesproken is. Het wapen lag op een plaats, waar hij het voor het grijpen had."

"U zegt, dat erover gesproken werd?"

"Ja, het is een keer ter sprake gekomen. Ik geloof zelfs, dat Alfons het wapen heeft laten zien. Ik had er geen belangstelling voor en daarom heb ik niet goed geluisterd." Hij hief plotseling zijn hoofd op: "In de gang?"

"Hoe komt u daarbij?"

"Alfons zei: Bij mij komt er niemand het huis in. Er zal niemand een stap over de drempel doen. Het ligt voor de hand dat het dicht bij de deur moet liggen: dus ergens in de hal."

"Denkt u dat ook andere mensen op de hoogte waren van de plaats waar het wapen lag?"

"Hm," meende Gunter Bork, "ik weet niet wat ik daarop moet antwoorden. Alfons is erg nauwgezet, maar aan de andere kant..."

"Ja...?"

"Is hij niet erg intelligent. Hij is vrij simpel van geest. Zo bekeken is het zeker mogelijk, dat ook anderen wisten waar hij het wapen bewaarde."

Hij vroeg nieuwsgierig verder: "Houdt u er rekening mee dat het wapen gestolen kan zijn?" Hij schudde zijn hoofd. "Waarom komt u niet tot de meest voor de hand liggende conclusie, namelijk dat Rudi Stöhr het wapen zelf heeft gebruikt? En het wapen kan hij natuurlijk niet meer laten zien."

Hij lachte, zag er vergenoegd uit, terwijl hij een kop thee in zijn hand hield.

"Meer wilde ik niet vragen", zei Karwenna.

Hij zat er nu wat bedremmeld bij. Niemand zei iets. De oude man zat achterover geleund in zijn fauteuil, terwijl hij Karwenna nieuwsgierig opnam.

"Wist u-," zei de oude man plotseling-, "dat zij ook met een musicus omging?"

Karwenna antwoordde bijna kortaf: "Ze had niets met die man. Ze wilde alleen maar leren gitaarspelen."

De oude man hief beide handen in de lucht alsof hij daarmee wilde zeggen: Ik heb u ergens opmerkzaam op gemaakt. Het is uw zaak of u er iets mee wilt doen of niet.

"Mag ik die foto nog eens zien?" vroeg Karwenna.

De oude man begreep het meteen, stond snel op en opende de kast. Hij haalde de ingelijste foto tevoorschijn.

"Hier is hij."

Hij bleef naast Karwenna staan, zodat hij zelf ook de foto kon bekijken. Toen keek hij Karwenna aan.

"Hoe oud is die foto?" vroeg Karwenna.

"Ik geloof, dat hij vijftien jaar oud is."

"Waarom ligt hij in de kast?"

"O," mompelde de oude man, "hij heeft hier de hele tijd gehangen." Hij wees naar een plek op de muur, "temidden van andere familiekiekjes, ziet u wel?"

"Sinds wanneer hangt hij daar niet meer?" vroeg Karwenna langzaam.

De oude man keek zijn zoon aan.

"Sinds gisteren," antwoordde Gunter Bork, "omdat ze zoveel lijkt op-."

Langzaam gaf Karwenna de foto aan de oude man, die hem aanpakte en weer behoedzaam opborg.

Op dat moment werd er gebeld.

Gunter Bork liep de gang in en opende de deur. Er klonken stemmen.

Gunter Bork kwam met twee jonge mensen binnen. Het waren een jong meisje en een jongeman.

"Neem me niet kwalijk," zei Gunter Bork tegen hen beiden, "ik heb net de politie in huis."

Hij wendde zich tot Karwenna. "Dit zijn Ursula en Erich Wenger, vrienden van mij."

De beide jonge mensen gaven Karwenna een hand.

Het meisje was slank. Haar hoofdje was klein en pittig en ze had donker haar. Ze zag eruit als een Spaanse. Haar huid was zacht, een beetje bleek, alsof het meisje zoveel mogelijk vermeed zich aan het zonlicht bloot te stellen. Ze had haar mond rood aangezet. Haar lippen waren niet erg vol, maar vormden een bijna elgante streep. Ze had donkere, glanzende ogen. Haar gezicht maakte een frisse indruk.

"Broer en zus?" informeerde Karwenna.

"Ja, broer en zus", zei Gunter Bork.

De broer was ook slank, bijna even groot als zijn zus. Ook hij had donker haar en donkere ogen maar zag er gespierder, krachtiger en atletischer uit. Hij deed waarschijnlijk veel aan sport. Zijn handdruk was krachtig. Hij lachte en liet een rij fraaie tanden zien.

"Vrienden van u?" vroeg Karwenna, "ook van Carola?"

"Laten we zeggen" - nam Erich Wenger direct het woord, "dat we haar kennen. We hebben haar verschillende keren ontmoet, maar echt goed kennen doen we haar niet."

"Nee," zei Gunter Bork, "dat is er nooit van gekomen."

Gunter Bork lachte tegen het meisje, dat naar de fauteuil van de oude man liep. Deze stond op toen hij het meisje naar zich toe zag komen.

"Goedendag, meneer Bork", zei het meisje.

De oude man kuste haar hand. "Welkom, Ursula", zei hij. "Wil je een kopje thee?"

Hij richtte zich enigszins ongeduldig tot Karwenna: "Zijn wij met elkaar uitgesproken?"

Karwenna bemerkte de vertrouwde manier, waarop ze met elkaar omgingen.

Gunter Bork hield zijn blik op het jonge meisje gericht, dat zijn lach beantwoordde.

Het lijkt erop dat ik hier teveel ben, dacht Karwenna en

stapte maar op.
Gunter Bork bracht hem naar zijn auto.
"U vrienden?" vroeg Karwenna.
"Ja," zei Gunter Bork, "ze hebben in Chili gewoond en zijn een paar maanden geleden naar Duitsland teruggekeerd. Hun ouders zijn vermoord. Ze werkten allebei in ons bedrijf. Daar heb ik hen leren kennen."
"Bedankt voor de inlichtingen", mompelde Karwenna en deed zijn auto open.
Plotseling bleef Gunter Bork doodstil staan. "Wat hebt u daar?" vroeg hij, terwijl hij op de achterbank wees, "dat zijn toch Carola's albums?"
"Ja," zei Karwenna niet erg op zijn gemak, maar hij probeerde zijn stem zo zakelijk mogelijk te laten klinken, "ik heb ze even geleend..."
"Waarom-?" vroeg Gunter Bork en zijn stem klonk duidelijk opgewonden.
"Ik wil eens kijken naar de mensen met wie ze zich heeft laten fotograferen..."
"Heeft u daar ook de albums met foto's uit haar kinderjaren voor nodig?"
"Bemoeit u zich daar niet mee", zei Karwenna scherper dan hij bedoelt had.
"Oké", zei Gunter Bork, maar hij begon plotseling te lachen en keek Karwenna een beetje spottend aan.
"Nog één vraag," zei Karwenna zakelijk, "kennen uw beiden vrienden Rudi Stöhr ook?"
Hij had deze vraag voornamelijk gesteld, omdat hij zich in verlegenheid gebracht voelde.
"Ja," zei Gunter Bork, "zij waren er ook bij toen die geschiedenis met Carola plaatsvond. Maar Carola zelf hebben ze nauwelijks gesproken, ze hebben haar alleen maar begroet."
"Bedankt", zei Karwenna, terwijl hij in zijn auto stapte en wegreed.
Tijdens het rijden dacht hij na.
Hij had de vrienden van Gunter Bork nog wel enkele vragen kunnen stellen. Hij had kunnen vragen wat zij dachten van

Rudi Stöhrs feest. Maar het zou vast niet veel hebben opgeleverd. Ze woonden pas in München. Ze waren pas drie maanden geleden uit Chili gekomen. Niet gek. Maar Karwenna besloot, deze broer en zus toch niet zonder meer te vergeten.

Hij probeerde zich te herinneren wat hij gezien en gehoord had. Hij zag de oude man voor zich met zijn notenbruine gezicht, zijn breekbare schedel, die helemaal kaal was en die glansde als een opgepoetste biljartbal.

Zag de man er eigenlijk wel ziek uit? Hij had toch heel normale antwoorden gegeven.

Karwenna kromp enigszins ineen. De geschiedenis met Carola's moeder. Had hij toen niet een beetje overspannen geklonken? Als de man inderdaad een geestesziekte had, welke dan? Schizofrenie? Waarschijnlijk. Karwenna nam zich voor dit na te gaan. In elk geval had de man een verpleegster en zijn zoon durfde hem niet alleen te laten... Karwenna parkeerde op de binnenplaats van het hoofdbureau. Hij nam de albums niet mee naar binnen. Hij was bang voor wat Henk zou kunnen zeggen.

Hij liet de albums in zijn auto liggen en besloot ze mee naar huis te nemen. Na dit besluit genomen te hebben, liep hij bijna opgelucht het bureau binnen.

Henk kwam nieuwsgierig tegemoet. "Hallo", zei hij.

"Hallo", zei Karwenna een beetje knorrig. "Is er nog wat gebeurd?"

"Ja", zei Henk.

"Wat dan?" vroeg Karwenna nerveus.

"Alfons Schulz is hier geweest. Hij zit op het ogenblik in de kantine. Ik heb gezegd dat hij daar kon wachten totdat jij terug zou zijn."

Karwenna voelde dat een lichte opwinding zich meester van hem begon te maken. "Wat wil hij? Heeft hij gezegd waarom hij gekomen is?"

"Natuurlijk heeft hij dat gezegd-" grijnsde Henk.

"Verdomme", snauwde Karwenna hem plotseling toe. Hij had een ogenblik zijn kalmte verloren, zo driftig was hij.

Hij beheerste zich onmiddellijk. "Neem me niet kwalijk",

mompelde hij.

Maar Henk was helemaal niet boos, eerder verbaasd en zei: "Ik weet dat je je deze zaak aantrekt." En hij ging heel zakelijk verder: "Schulz kwam hier met een slecht geweten. Hij heeft tegen je gelogen."

"Is het pistool terecht?"

"Nee, hij heeft tegen je gelogen toen hij zei dat hij het pistool slechts op de schietbaan in Perlach had uitgeprobeerd. Hij zegt dat hij er ook buiten mee in het bos heeft geschoten."

"Ja en-?"

"Op bomen", grijnsde Henk.

"Breng hem onmiddelijk hier."

Henk liep weg en Karwenna ging achter zijn bureau zitten.

Op bomen geschoten. Dat zou kunnen betekenen dat er misschien kogels gevonden konden worden. Dan zou men kunnen vaststellen of Carola Bork met het wapen vermoord werd, dat uit Rudi Stöhrs huis afkomstig was.

Henk kwam terug met de butler.

De reusachtige kerel beefde als een rietje en hij durfde nauwelijks zijn ogen open te slaan.

"Neemt u me niet kwalijk," fluisterde hij, "ik weet dat ik een fout heb gemaakt door u niet de waarheid te vertellen, maar vergeet u alstublieft niet dat ik door in de vrije natuur te schieten zelfs de wet heb overtreden."

"Het is al goed," zei Karwenna kortaf, "u hebt dus met het vermiste wapen op bomen in het Perlacher bos geschoten?"

"Nee, in het Forstenrieder Park. Diep in het bos." Hij zei nadrukkelijk: "Ik heb geen mensenlevens in gevaar gebracht, dat kunt u van me aannemen. Ik heb een glooiende helling uitgekozen, zodat zelfs een gemist schot ongevaarlijk was, maar ik heb geen enkele keer gemist."

"Zeg het nog eens langzaam," zei Karwenna, "weet u precies waar het was?"

"Ja, natuurlijk."

Karwenna stond op, wendde zich tot Henk, die aandachtig had toegeluisterd. "Kom mee", zei hij.

"Oké", zei Henk droogjes, terwijl hij zijn bureau opruimde

en zijn jas aantrok.

Zelfs tijdens de rit bleef Alfons Schulz zich uitgebreid verontschuldigen: "U moet begrijpen: Een schietbaan is iets waar ik erg vertrouwd mee ben, hij biedt geen verrassingen meer, ik sta daar onder een dak en richt op een schietschijf. Het zijn geen echte omstandigheden.

Hij keek Karwenna smekend aan: "En die heb ik toch nodig, wil ik mijn werk goed kunnen doen. Ik moet in staat zijn het pistool bliksemsnel tevoorschijn te trekken, me op de grond te werpen en tijdens mijn val te schieten. Waar anders kan ik oefenen?"

"Ja," zei Karwenna, "dat is moeilijk. Hopelijk herkent u de bomen."

Een tijdje later reden ze een bosweg op.

Alfons Schulz zat voorin en leunde niet achterover in zijn stoel. Hij was een en al aandacht.

"Nu weet ik weer waar ik ben", zei hij en hij scheen inderdaad tamelijk zeker te zijn van zichzelf toen hij zei: "Hier is het."

De auto stopte.

De drie mannen liepen het bos in.

"Krijg ik een proces-verbaal?" vroeg Schulz bezorgd, "maar u ziet toch zelf dat ik de nodige voorzichtigheid in acht heb genomen."

Hij bleef staan en keek om zich heen.

"Hier is het."

Het was een romantisch plekje. Een hoog beukenbos liep over in een sparrebos.

"Ziet u wel," zei Schulz ijverig, "de grond gaat hier omhoog en je kunt goed zien waar je op schiet."

"Op welke bomen hebt u geschoten?"

Schulz oriënteerde zich en wees toen op verschillende bomen. "Op die daar."

In deze beuk zaten dus kogels, die zouden kunnen bewijzen of het vermiste pistool van Rudi Stöhr het moordwapen was.

Henk liep naar een van die bomen. "Hoe lang is het geleden?"

"Al drie maanden."

Karwenna bekeek de stam en zocht naar kogelgaten. Deze

waren nog nauwelijks te zien. De tijd had de beschadigingen uitgewist, de kogelgaten waren dicht gegroeid.

Hoe diep zouden de kogels doordrongen zijn? Waar moest men zoeken? En vooral: hoe moest men ze eruit halen?

Henk keek Karwenna aan. "Niet zo eenvoudig," mompelde hij, "wat kunnen we in het geval doen? Kunnen we de boom omhakken?"

"Onzin", mompelde Karwenna, maar ook hij voelde zich niet erg op zijn gemak. Hij had al eens eerder met het Bosbeheer te maken gehad in verband met het doorzoeken van een bos met honderd man speciale politie. Hij had toen een enorme ruzie met het Bosbeheer gehad, want men beweerde dat ze het bos verwoest hadden.

"Eruit boren?" vroeg Henk.

Karwenna betastte met zijn vingers de plaatsen waar het om ging.

Alfons Sculz stond naar de beide mannen te kijken.

"Hoe heeft u geschoten?" vroeg Karwenna, "horizontaal, van beneden naar boven?"

"Ik heb me tegen de grond geworpen," zei Schulz, "en tijdens mijn val geschoten."

"Het schietkanaal zal dus van onder naar boven lopen."

"Zullen we dan maar gelijk naar het Bosbeheer gaan?" vroeg Henk.

"Nee, nee," sprak Karwenna hem tegen, "die zijn veel teveel gesteld op hun bomen."

"Maar het gaat toch om een moordzaak."

"En ik zeg je dat ze het niet goed zullen vinden."

Karwenna probeerde een van de kogelgaten met zijn zakmes te openen. Hij maakte een insnijding in het gekleurde, stevige hout, maar de kogel bereikte hij niet. Het was absoluut zinloos.

Uiteindelijk reden ze maar terug.

Ze lieten Alfons Schulz uitstappen. "Nog één vraag," zei Karwenna, "weet Rudi Stöhr dat u naar ons bent gegaan?"

"Nee," mompelde Alfons Schulz benepen, "ik heb een slecht geweten. Hierdoor heb ik misschien wel onze vertrouwensrelatie kapot gemaakt." Hij keek Karwenna aan, alsof hij verwachtte dat deze iets zou zeggen om hem gerust te stellen. Hij fluisterde: "Hij is mijn baas, weet u, maar..."

"Ja-?" vroeg Karwenna scherp.

"Ik ben niet dom," zei Schulz plotseling, "en het ziet ernaar uit dat het heel goed mogelijk is dat het Rudi Stöhr was die het pistool heeft weggenomen en misschien ook"- zijn stem was nu nog nauwelijks verstaanbaar, -"gebruikt heeft."

Hij stond daar met hangend hoofd.

"In dat geval" - ging Schulz verder, "zal ik niet langer voor hem kunnen blijven werken."

"Dat is uw zaak", zei Karwenna.

Hij liep samen met Henk het bureau binnen.

Henk zei: "We moeten hoe dan ook die kogels te pakken krijgen. Ik ga het eerst bij het Bosbeheer proberen."

Karwenna liet hem zijn gang gaan.

Henk zocht het telefoonnummer op, kreeg iemand aan de telefoon, legde het probleem uit en werd doorverbonden, totdat hij tenslotte een man aan de telefoon kreeg, die een zeer beknopte wijze van spreken had. Of het gezonde bomen waren? Ja, ze zijn gezond. Hoe sterk? Of Henk de omvang zou kunnen schatten? Toen zei de man kortaf dat hij daartoe geen toestemming mocht geven. Hij vroeg waar de desbetreffende boom zich bevond.

Op dat moment stak Karwenna, die had meegeluisterd, waarschuwend zijn hand op.

Henk begreep het onmiddellijk. "Ergens in het Perlacher bos."

"Doet u niets op eigen houtje," zei de beambte van het Bosbeheer, "als u toch zelf iets onderneemt, zal ik een aanklacht tegen u indienen." Hij wilde Henks naam weten en van welke afdeling hij was.

"Laat maar zitten", zei Henk, legde de hoorn op de haak en wendde zich tot Karwenna. "Ik denk dat we zullen moeten boren. Wie zou zoiets kunnen doen?"

Dat was geen eenvoudige zaak.

Konden ze van een particulier iemand vragen in de bomen van een stadsbos te gaan boren met de consequentie, dat hij daarvoor gestraft zou kunnen worden?

Henk zei: "Ik zal het wel op de een of andere manier voor elkaar krijgen. Een boor zou het beste zijn, maar middenin het bos hebben we geen stroom."

"Met hamer en beitel," zei Karwenna, "hoe heten die dingen ook alweer, die meubelmakers gebruiken?"

"Ik weet wat je bedoelt", antwoordde Henk.

Ze gingen naar beneden, waar het gereedschap was opgeslagen en maakte een keuze uit het assortiment werktuigen.

Ze reden direct terug naar het bos.

Henk zag er tamelijk vergenoegd uit. "Dit vind ik nog eens leuk. Misschien hoor ik helemaal niet thuis in dit beroep," kletste hij, "ik houd er niet van de hele tijd te moeten nadenken, conclusies te moeten trekken. Het is niet alleen een inspannende bezigheid, maar ik ben nog voortdurend bang dat ik het bij het verkeerde eind heb. Dit is nog eens eenvoudig: Een kogel uit een boom halen."

Ze vonden de plaats waar het om ging.

Ze begonnen allebei te werken, te hameren, te boren, te schaven. Hoewel ze vrij veel lawaai maakten werden ze door niemand gestoord.

Tenslotte stootte Henk op iets van metaal. Heel voorzichtig haalde hij uiteindelijk een vervormde kogel te voorschijn, die hij op zijn hand legde.

"Man," zei Henk blij, "ik had niet gedacht dat het ons zou lukken."

Hij kuste de kogel en zei: "Zo en wijs ons nu maar eens de moordenaar aan." Ze reden direct terug naar het bureau.

Het was tamelijk laat geworden, maar Henk had de nodige maatregelen getroffen en Wagner bracht de kogel direct naar het laboratorium.

Dokter Weinert, het hoofd van de afdeling, had hem beloofd het laboratorium vrij te houden en diezelfde nacht de nodige proeven te nemen.

"Gaan we nog even een biertje drinken?" vroeg Henk.

Karwenna schudde automatisch zijn hoofd. "Nee, nee," zei hij, "ik ben al twee dagen achter elkaar laat thuis gekomen.

Helga is er een beetje chagrijnig van geworden."
"Oké", zei Henk en voegde er optimistisch aan toe: "Morgen weten we meer."

★

Het was al donker toen Karwenna thuis kwam. Hij nam de fotoalbums uit zijn auto en aarzelde even.

Hij vond het geen prettig idee met de foto-albums onder zijn arm binnen te gaan, maar tenslotte zei hij tot zichzelf: Lieve hemel, ik moet ze toch doorkijken. Het maakt deel uit van mijn werk.

Dus ging hij met de foto-albums de woning binnen.

Helga lachte verrast: "Aha, je komt eindelijk een keer naar huis zodra de werkdag afgelopen is?"

"Ja, ik weet het. Maar ik heb er een goede reden voor."

"Ja, dat weet ik. Ik zeg ook niets. Kom ga zitten. Wat zal ik voor je klaarmaken?"

Helga was in een goede stemming en ze liep vlug en energiek naar de keuken, draaide het gas aan en keek achterom. "Ik heb nog een schnitzel van vanmiddag."

"Het maakt me niet uit wat je klaarmaakt."

"Heb je geen speciale voorkeur?"

"Nee, ik heb niet veel honger."

Michael was verheugd zijn vader te zien en haalde zijn schoolspullen tevoorschijn, liet tekeningen en schoolschriften zien en vertelde wat er die dag allemaal was gebeurd.

Karwenna streek hem over zijn haar. Hij genoot van dit samen-zijn, maar reageerde toch wat trager dan hem lief was.

"Hé," zei Helga, "ben je moe?"

"Nee, nee", zei Karwenna en hij vernamde zich.

"Is het een vervelend geval?"

"Ja, bijzonder onaangenaam."

"Gaat het toch nog steeds over dat meisje, dat in de rug geschoten is?"

"Ja."

Plotseling ergerde Karwenna zich, "ja, het is nog steeds hetzelfde geval. Het is drie dagen geleden gebeurd. Als de zaak opgelost was, zou ik het je wel hebben verteld."

Ze keek hem onderzoekend aan. "Waarom wind je je zo op?"

"Neem me niet kwalijk, ik ben zenuwachtig."

Helga Karwenna zag de albums, die haar man had neergelegd. "Heb je werk meegebracht?"

"Ja, ik wil straks even iets doorkijken."

Helga zei niets meer, bracht het eten. Ze aten en keken naar het nieuws. Maar Karwenna volgde het journaal maar oppervlakkig, zijn gedachten dwaalden voortdurend af. Hij zag een reeks beelden voor zich. Rudi Stöhr in de deuropening: Zijn jullie nu nog aan het praten? Dan opeens een heel ander beeld: De oude meneer Bork in zijn fauteuil: Ik ben ziek, maar zegt u nu zelf, merkt u wat aan mij? Dan de jongelui, die op bezoek waren gekomen. Waar kwamen ze ook alweer vandaan? Chili of Argentinië? Opeens dacht Karwenna: Was daar ook niet sprake van moord? Ja, ze zeiden - ja wie zei het ook alweer? O ja, Gunter Bork had gezegd dat hun ouders waren vermoord. Moord, moord, dacht Karwenna, ik kan dat woord langzamerhand niet meer horen.

Helga Karwenna zag haar man aan tafel zitten. Hij zat helemaal in elkaar gedoken, zijn kin rustte op zijn borst. "Lieverd" - zei ze zachtjes.

Hij keek geschrokken op. "Wat is er?"

"Was je in slaap gevallen?"

"Nee, nee." Karwenna vermande zich, pakte de albums en ging naar de voorkamer.

Hij ging in een fauteuil zitten, trok de staande lamp naar zich toe, zodat hij genoeg licht had. Toen opende hij een van de albums.

Carola tijdens haar schooljaren. Lang, een beetje mager, hoe oud zou ze daar zijn geweest? Twaalf? Ja, ze begon al een vrouwelijk figuurtje te krijgen. Ze droeg vlechten, maar die waren erg kort, zodat ze naar opzij uitstonden. Het was geen fraai gezicht, maar het was in ieder geval praktisch. Maar achteraf bekeken stond het eigenlijk ook best mooi, het liet haar hals vrij. Karwenna las een paar onderschriften: Schoolfeest negentienhonderdnegenenzestig. Waar werd het feest gehouden? Het leek wel op - Lenggries? Ja, het zou Lenggries kunnen zijn. Carola had ernstig in de lens van het fototoestel gekeken. Ze had een blauwe rok aan. Haar knieën waren - ja waren echt vuil? Het zag er wel naar uit. Waarschijnlijk hadden ze tegelijkertijd een sportfeest gehad. Wat werd er eigenlijk tegenwoordig op schoolfeesten gedaan? Zaklopen?

Karwenna dacht terug aan zijn eigen schooltijd. Ja, toen had men ter gelegenheid van een schoolfeest tenten opgezet. Je kon blikken gooien. Je kon spijkers in houten blokken slaan. Het geld werd voor een tombola gebruikt. Karwenna herinnerde zich nog hoe rot hij zich had gevoeld omdat hij niets had gewonnen, hoewel er toch vele prijzen waren geweest, waaronder een accordeon. Als hij hem had gewonnen zou hij les hebben genomen.

Hij kon zich herinneren dat hij voor de zekerheid snel een schietgebedje had opgezegd. De inhoud daarvan was ongeveer als volgt: Lieve God, laat mij die accordeon winnen. Maar God liet hem die accordeon niet winnen. De accordeon werd gewonnen door een jongen met rijke ouders. Bovendien vergat deze jongen prompt de accordeon mee naar huis te nemen zodat men het ding had moeten thuis bezorgen.

Schoolfeest, dacht Karwenna. Hij kon zich nog heel goed de geur van braadworst en gegrilde kip herinneren.

En 's avonds kwam het hoogtepunt van het feest: een soort vuurwerk, waarvoor de gymnastiekleraar de verantwoordelijkheid droeg. Dokter Pundt had alle ouders een brief geschreven met het verzoek om een geldelijke bijdrage.

Het was geen geweldig vuurwerk, maar het was altijd erg leuk geweest om die twintig, dertig vuurpijlen de lucht in te zien gaan.

En Carola staarde hem ernstig aan, alsof ze haar glimlach naar binnen had getrokken. De weerschijn van deze glimlach leek nog op haar gezicht te liggen.

Karwenna bladerde verder. Carola met een paard. Haar vader had haar immers een paard geschonken. Niet gek, dacht Karwenna, om het kind van ouders te zijn, die paarden cadeau konden geven.

Carola droeg een rijbroek en een dun bloesje. Ja, daar was ze wat ouder, veertien, vijftien? De foto was van opzij genomen en ze hield het paard bij de teugel. Het paard had het hoofd achterover geworpen. Carola stond voorovergebogen, haar smalle heupen liepen in de volmaakte lijn van haar rug.

En op deze foto lachte ze weer, alsof ze wist dat de fotograaf het paard aan het schrikken had gemaakt. Wat is er toch zo bijzonder aan haar manier van lachen? vroeg karwenna zich af. Vertrouwen, absoluut vertrouwen? Zo lacht iemand die het oorspronkelijk vertrouwen nog niet in twijfel heeft getrokken. Geen twijfel, die tot teleurstellingen heeft geleid. Vreugde. Ja, levenvreugde. Dat was het.

Karwenna zat daar met gefronste wenkbrauwen. Beperkte vreugde zich tot de jeugd? Verliest men zijn levensvreugde wanneer men ouder wordt? Of is het gewoon een bijzondere gave, die je al dan niet hebt?

Welnu, als dat zo was, dan had Carola deze gave om van het leven te kunnen genieten zeker gehad.

Terwijl Karwenna de foto's bekeek, onstond er als het ware een directe band tussen hem en het meisje. Ze lachte hem toe, hem, Karwenna, ze toonde hem haar leven, de details van haar leven. Zij was het die bladzijde na bladzijde omsloeg. lachend toonde ze zich aan hem. De vakantiereis naar Venetië. Ze voerde duiven, ze stond temidden van een menigte duiven, maar haar blik was omhoog gericht. Ze stond met een gondelier te praten. Haar haar glansde, de zon schiep een vreemd tegenlicht, zodat Carola door een lichtkrans werd omgeven.

Helga Karwenna kwam de kamer binnen. Ze zag haar man in gedachten verzonken boven het foto-album zitten.

"Wat heb je daar?" vroeg ze verwonderd, "zit je foto's te kijken?"

"Ja, van het meisje dat vermoord is."

Helga ging achter haar man staan. "Maar daar is het nog maar een kind."

"Ja, ze was daar zestien. Met haar vader in Venetië."

"Een knap meisje."

"Ja, dat vind ik ook."

Helga keek haar man oplettend aan. "Waarom zit je deze foto's te bekijken?"

"Waarom?"

"Ja, je hebt toch vier albums. Waarom breng je die mee naar huis?"

"Dat zie je toch" - mompelde hij, "ik blader ze door."

"Ja, en ik vraag me af waarom", mompelde Helga. "Uit nieuwsgierigheid?"

Karwenna keek op.

"Of is er een andere reden-?"

"De moordenaar is mogelijk een van haar vrienden of kennissen. Ik kijk met wie ze op de foto staat."

"Dan kun je deze bladzijde wel omslaan," zei Helga, "want daar staat ze alleen op."

Karwenna stond op. Hij zocht naar zijn sigaretten, haalde ze tevoorschijn en stak er zwijgend een op.

"Rook je weer?" vroeg Helga.

"Moet je eens luisteren," zei Karwenna, "ik bekijk deze foto's uit hoofde van mijn werk."

"En je vindt het bepaald geen onplezierige bezigheid."

"Lieve hemel," riep Karwenna kwaad, "dit knappe meisje is van achteren neergeknald. En zij is zoëven in het Pathologisch-anatomisch Instituut in stukjes gesneden en geanalyseerd."

Ze antwoordde net zo heftig: "Wat is er toch met je aan de hand? Waarom wind je je zo op?"

Karwenna maande zichzelf tot kalmte. "Laat maar," zei hij, "Neem me niet kwalijk. Deze zaak maakt erg zenuwachtig. Ik heb geen enkel houvast. Of laat ik het zo zeggen: Ik weet niet of het spoor, dat ik heb, ook maar iets waard is." Hij spreidde zijn armen uit. "Ik ben volkomen hulpeloos."

Ze lachte. "Ik moet ook mijn verontschuldigingen aanbieden. Ik zou zo langzamerhand moeten weten hoe ernstig jij je werk opvat. Misschien ernstiger dan nodig is, maar zo ben je nu eenmaal."

Ze lachte, maar haar ogen hielden die vreemde, onderzoekende, bijna koele blik: "Ik heb pas nog met Henk gesproken over het feit dat jij zo anders bent dan je collega's. Die doen het werk zo goed als het kan, maar vergeten niet dat ze daarnaast ook nog een gezin hebben."

"Vergeet ik dat dan wel?"

"Ja, je vergeet het nog wel eens. Je doet meer dan van je verlangd wordt. Je voelt je erbij betrokken. Je zit vol emoties..."

Ze maakte de zin niet af en wees bijna minachtend op het foto-album. "Ik heb ergens gelezen dat een rechercheur, die al te emotioneel bij zijn werk betrokken is, een slechte rechercheur is. Hij kan zijn gevoelens niet uitschakelen en dat is nu net precies wat afbreuk doet aan zijn werk, het zakelijke, nuchtere werk."

"Waar heb je dat gelezen?"

"In je vakblad. Dat lees ik af en toe. Ik heb die regels onderstreept." Aangezien Karwenna niets zei, ging ze verder: "Dat meisje maakt je nog gek."

Ze wachtte niet tot hij zou antwoorden, maar liep de kamer uit.

Karwenna had geen zin meer nog langer naar de foto's te kijken. hij legde de albums weg.

Helga was in de badkamer en had zich al uitgekleed. Karwenna zag haar naakt voor de spiegel staan.

Helga was een aantrekkelijke vrouw. Wie had dat kort geleden ook alweer gezegd? O ja, Gunter Bork.

Hoewel Helga, naakt als ze was, haar hoofd had omgedraaid en haar man aankeek, vergat hij haar aanwezigheid plotseling.

Gunter Bork. Wat was dat eigenlijk voor een knaap? Zijn manier van optreden was ongewoon, bijna een beetje gespannen. Hij sprak op een kortademige manier en hij had een vaste blik in zijn ogen - hoe kon je dat beschrijven? - een intense blik, alsof alsof alles hem buitengewoon interesseerde.

Iets wat men hem niet kwalijk kon nemen. De dode was immers zijn nichtje, dat hij graag mocht, erg graag mocht. Zou er soms sprake geweest zijn van een onbeantwoordde liefde?

Karwenna bleef op de drempel van de badkamer staan nadenken.

Hoe stond het eigenlijk met Gunter Bork? Was het meisje dat Karwenna vandaag had leren kennen - die Chileense - soms een vriendin van Gunter Bork? Wat voor soort vriendschap was dat? Karwenna besloot dit na te gaan. Maar aan wie zou hij dat moeten vragen? O ja, er moest ook een verpleegster zijn. Gunter Bork had het daar namelijk over gehad. Ja, dat klopt herinnerde Karwenna zich. Hoe ziek was Gunter Borks vader eigelijk? Ook dat was belangrijk.

Karwenna kleedde zich uit. Zijn vrouw lag al op bed, haar ogen hadden een sombere uitdrukking. Ze wond de wekker op. Nuchter zei ze: "De gewone tijd?"

"Ja, dank je, Helga", zei hij. "Nee", verbeterde hij zichzelf, "misschien wat vroeger. Ik verwacht morgen een belangrijk onderzoekuitslag van het laboratorium."

"Het resultaat van een laboratoriumonderzoek, hè?" mompelde Helga, terwijl ze een boek van het nachtkastje pakte en haar bril opzette.

Karwenna staarde haar aan. "Wat krijgen we nou?" vroeg hij, "sinds wanneer draag jij een bril?"

"Gut," zei Helga droogjes, "je ziet het dus toch? Ik heb hem al een week. Ik ben bijziend."

"Dat kan toch niet", zei Karwenna.

"Jawel, het kan wel. Ik heb me de laatste paar dagen al verschillende keren afgevraagd wat men moet denken van een rechercheur die zo weinig waarnemingsvermogen heeft. Maar misschien ontbreekt het je daaraan alleen wanneer het je eigen vrouw betreft."

Karwenna hoorde de agressieve, beledigde klank van haar stem.

"Je hebt gelijk, maar ik kan toch niet steeds hetzelfde zeggen..."

"Zeg het dan niet."

"Het is toch niet zo maar een geval", riep Karwenna opeens kwaad uit. "Waarom kom jij me ook nog eens met jou problemen lastigvallen?"

"Neem me niet kwalijk," antwoorde ze droogjes, "maar het is waar, ik heb inderdaad problemen."

Ze zei niets meer, begon in haar boek te lezen en sloeg een bladzijde om.

Karwenna ging op zijn rug liggen.

Hij had een hekel aan dit soort scènes, voelde zich geroepen iets te zeggen of iets te doen, maar raakte in plaats daarvan volkomen verlamd en deed niets.

Zijn gedachten dwaalden af: Wanneer de kogels met elkaar overeenstemden, als Carola Bork inderdaad met het pistool dat bij Rudi Stöhr in de hal op de kast lag, werd neergeschoten, wat volgde daar dan uit? Was het voldoende voor een arrestatie? Wat het doelmatig?

Met deze gedachten viel Karwenna in slaap.

Maar in zijn dromen bladerde hij door het foto-album, was hij plotseling op een schoolfeest, won hij een accordeon, die Carola aan hem uitreikte. Zij overhandigde hem en kuste hem, de winnaar. Ze kuste hem en lachte hem toe. Karwenna lag rusteloos in zijn bed te woelen. Plotseling besefte hij dat iemand hem aanstootte.

Hij schoot overeind.

Helga had het licht aangedaan. "Hoor je de telefoon niet rinkelen?" Ze had de hoorn van de telefoon, die op Karwenna's nachtkastje stond, genomen en hield hem in haar hand.

"Wie is het?"

"Ja, wie zou dat nou zijn?" zei ze droogjes.

Karwenna nam de hoorn van haar over en noemde zijn naam.

Het was Wagner, zijn collega van de surveillancedienst. "Je spreekt met Wagner. Heb ik je uit een zoete dromen gerukt?"

"Ja, inderdaad. Vraag: Waarom?"

"Ik dacht dat het je zou interesseren, omdat het met jouw zaak te maken heeft. De vader van Carola Bork is zojuist vermoord."

Karwenna keek op de klok. Hij had nauwelijks een uur geslapen.

"Waar ben je?" vroeg hij.

Wagner lachte. "Jij wordt ook snel wakker. Je stem klinkt opeens heel anders. Ik ben in Borks huis."

"Ik kom onmiddellijk."

Hij legde de hoorn op de haak, stapte uit bed en raapte zijn kledingstukken bij elkaar.

"Mag ik vragen wat er gebeurd is?" vroeg Helga.

Ze zat in de kamer en had haar bril opgezet, alsof ze niets wilde missen van hetgeen zich op zijn gezicht aftekende.

"Een nieuwe moord. De vader van het meisje. Het lijkt aannemelijk dat de beide gevallen met elkaar in verband staan. In dat geval zijn er opeens nieuwe en misschien totaal andere motieven mogelijk..."

Hij had zijn broek al aangetrokken.

"Dat is natuurlijk prachtig," zei Helga. "misschien werpt de nieuwe moord licht op de vorige. Kun je het zo stellen?"

"Ja, dat zou kunnen", zei Karwenna, voordat hij besefte dat zijn vrouw de opmerking ironisch bedoeld had.

"Goedenacht", zei Helga, terwijl ze ging liggen en bijna grimmig naar het plafond staarde.

"Goedenacht", zei Karwenna en ging de badkamer in om zich te wassen, zijn tanden te poetsen en zijn haar te kammen. Hij was binnen vijf minuten klaar, liep de trap af en vervolgens de straat op.

Het was koud geworden, de wind was nogal frisjes, maar daar was hij eigenlijk blij om, omdat hij nog niet helemaal wakker was.

De auto startte moeilijk. Vluchtig bedacht hij dat er spoedig nachtvorst zou komen. Hij zou de accu moeten laten nakijken.

Hij reed weg.

Voor het huis van Bork was er de gebruikelijke drukte gaande, een paar auto's, een paar opgestelde schijnwerpers, de openstaande huisdeur.

Karwenna liep langzaam naar het huis.

Hij ging helemaal op in hetgeen hij zag. Hij zag flitslicht.

Op de drempel, half binnen en half buiten, lag een lichaam op de grond.

Wagner kwam naar buiten, herkende Karwenna en liep hem tegenmoet.

"Op de drempel van zijn huis?" vroeg Karwenna.

"Ja. De moordenaar heeft aangebeld. Bork heeft de deur open gedaan en werd neergeschoten."

"Neergeschoten?"

"Ja, ik heb je direct laten komen. De moordenaar is er blijkbaar op uit de hele familie uit te roeien."

"Hebben jullie de kogel al?"

"Die zit in zijn lichaam."

"Is hij niet door zijn lichaam heengedrongen?"

"Nee, we hebben de hele gang afgezocht, er is niets beschadigd."

"De kogel is erg belangrijk."

"Ik weet, dat u een kogel naar het laboratorium hebt gebracht voor een onderzoek." Wagner was een groot, zwaargebouwde en enigszins bedachtzaam mens. "Je ziet er erg wakker uit", grijnsde hij.

"Jaja", mompelde Karwenna, terwijl hij de voortuin door liep en het toneel overzag.

Bork was voorover gevallen, lag op zijn buik, op zijn gezicht. Meestal vallen de slachtoffers achterover.

Het lijkt alsof ze een slag met een paardenhoef krijgen en achterover op hun rug vallen.

Borks gezicht was zichtbaar. Niemand had nog zijn ogen dicht gedrukt. Het schijnwerperlicht toonde het uitgedoofde blauw van zijn iris.

De deur werd door het dode lichaam opengehouden.

Karwenna keek achterom. "Zit de bel bij het tuinhek?"

"Ja en een microfoon."
"Weten jullie hoe laat het is gebeurd?"
"Half een. De buren hebben het schot gehoord."
"Maar ze hebben niets gezien?"
"Nee. Tot nog toe heeft zich nog geen getuige gemeld. En dat zou zo'n persoon toch zeker gedaan hebben."
Karwenna liep terug naar het tuinhek. "De moordenaar belt hier aan het tuinhek. Om half een doet niemand open zonder te vragen wie het is. De moordenaar heeft zijn naam gezegd. Bork moet de naam hebben gekend, anders zou hij niet aan de deur zijn gekomen."
Karwenna stond volkomen in gedachten verzonken en zei uiteindelijk: "Het kan natuurlijk ook zijn dat de moordenaar indien Bork hem niet kende - iets heeft gezegd dat ertoe leidde dat hij de deur opendeed. Stond het hek open?"
"Ja, maar toen wij arriveerden, waren de buren er al. Niemand kan met zekerheid zeggen of het hek open of dicht was. Maar voor zover het zich laat aanzien heeft Bork het tuinhek voor de moordenaar geopend, terwijl hij zelf in de deuropening stond om hem te ontvangen."
Wagner keek Karwenna nieuwsgierig aan. "Neem je mij de zaak uit handen?"
"Inderdaad", zei Karwenna en voegde eraan toe: "Ik sta erop."
Karwenna ging naar binnen.
Het dienstmeisje stond huilend in de gang en kon haar ogen niet van Borks lichaam afhouden. Ze zei tegen Karwenna: "Ik kan het in dit huis geen minuut langer uithouden."
Het dienstmeisje had geslapen, kon eigenlijk helemaal niets zeggen, want ze had niet eens het schot gehoord.
Karwenna ging de huiskamer binnen, bleef een tijdje verstrooid staan. Heel vaag voelde hij dat hij moe was.
Hij liet zijn collega's het gebruikelijke werk verrichten. Hij wist: Hier viel hem niets anders te doen dan vast te stellen dat er een moord was gepleegd en dat de dood van Carola Bork waarschijnlijk in verband stond met de moord op haar vader.
Karwenna ging zitten, greep de telefoon. Pas toen hij de

hoorn in zijn hand had, vroeg hij zich af wie hij eigenlijk wilde opbellen.

Maar dat lag toch voor de hand: De broer van Bork en zijn neef. Die moesten op de hoogte gebracht worden.

Karwenna liet zich door het dienstmeisje het telefoonnummer geven. Toch aarzelde hij nog even.

Hij besloot de hoorn weer op de haak te leggen. Hij had een hekel aan telefonische mededelingen; hij miste het persoonlijke contact. En waarom?

Hij verjoeg deze gedachten, ging naar buiten en zag dat Wagner het lijk aan het bekijken was. Ze hadden de man net omgedraaid. De schotwond was duidelijk te zien.

"Een zuiver schot," zei Wagner, "wie het ook heeft gedaan, hij heeft er wel verstand van. Hij heeft niet in het wilde weg gevuurd, maar heeft maar één schot gelost en dat was raak ook."

Karwenna liet Wagner op de plaats van de misdrijf achter, stapte in zijn auto en reed naar het huis van Gunter Bork.

Het was maar een paar straten verderop, slechts vijf minuten lopen.

Karwenna probeerde alle speculaties uit zijn hoofd te verdrijven en stopte voor het huis, waar Gunter Bork en zijn vader woonden.

Het huis was in duisternis gehuld.

Ook de straatverlichting stelde niet veel voor, zodat Karwenna moeite had de bel te vinden.

Hij moest verschillende keren bellen voordat er licht in het huis aanging. Ook hier zat een microfoon bij het tuinhek. Gunter Bork vroeg wie het was.

Karwenna noemde zijn naam.

Vervolgens ging er nog meer licht in het huis aan, de tuinverlichting ging aan en de voordeur ging open.

Gunter Bork stond in zijn pyama op de drempel. "Wel, wel, kommissaris, er is zeker iets gebeurd, komt u binnen."

Karwenna liep naar de deur. De jongeman hield zijn hoofd naar voren hangen en hield zijn blik op Karwenna gericht.

"Er is inderdaad wat gebeurd. Uw oom is vermoord."

"Wat, wat zegt u?" zei Gunter Bork, "meent u dat werkelijk?"
Karwenna bemerkte dat hij niet al te zeer geschokt was. De jongeman sloot de deur en keek Karwenna verbaasd aan. "Wanneer dan? Hoe dan?"
Karwenna legde het hem uit. Gunter Bork luisterde aandachtig toe, hij hield zijn schouders enigszins samengetrokken alsof hij het koud had en zijn ogen hadden weer die intense uitdrukking.
"Wat is er dan gebeurt?" fluisterde hij, "zal ik me aankleden en met u meegaan?"
"De dode zal tegen die tijd weggehaald zijn."
De jongeman haalde diep adem. "Wat maakt u daar nou uit op? Hij gaat naar de deur en wordt neergeschoten? Wat voor toestand is dat eigenlijk? Dat is toch - is er soms anarchie losgebroken? Kun je tegenwoordig iedereen die je wilt zo maar doodschieten?"
Opeens klonk er een stem. "Gunter..."
De deur ging open en de oude meneer Bork stond op de drempel, in zijn pyama en op blote voeten. Hij keek Karwenna verward aan, maakte een buiging en zei: "Neemt u me niet kwalijk, ik hoop dat ik niet stoor, mijn naam is Bork."
"Ja, het is al goed, vader", zei de jongeman snel. "Je hebt niets aan je voeten. Wil je soms kou vatten? Kom, ga naar bed."
Hij wendde zich tot Karwenna. "Neemt u mij niet kwalijk."
Maar de oude man verzette zich.
"Laat me los-", riep hij, "ik zoek mijn zoon. Ik heb de stem van mijn zoon gehoord."
"Maar ik ben er toch," riep Gunter Bork flink, "ik zal je nu naar bed brengen."
"Nee, nee," schreeuwde de oude man, "u mag mij niet aanraken, ik heb u niets gedaan."
Hij stak zijn armen naar Karwenna uit. "Help me, ze willen me weer opsluiten."
"Maar niemand wil je opsluiten", zei Gunter Bork, terwijl hij zijn vader vastpakte en optilde. Hij bracht de tegenstribbelende man weg.
Karwenna bleef in de gang staan. Hij zocht een sigaret en

stak hem op.

Hij hoorde plotseling iets bewegen op de trap. Hij draaide zich om en zag een jong meisje de trap opgaan. Ze droeg een felgekleurde zijden ochtendjas.

Het was het jonge meisje, met wie Karwenna de dag tevoren samen met haar broer had kennis gemaakt. Het meisje zag er ook nu chic uit, haar zwarte haar was opgestoken en het benadrukte de ongewoon edele trekken van haar bleke gezicht.

Het meisje bleef halverwege de trap staan toen ze Karwenna zag. "Neemt u mij niet kwalijk", zei het meisje.

Karwenna drukte zijn sigaret uit in de asbak. "Er is geen enkele reden om u te verontschuldigen."

"Ik hoorde stemmen en wilde even kijken..."

"Meneer Bork is net zijn vader terug naar bed aan het brengen."

"Was er dan iets met hem aan de hand?"

"Ik geloof dat hij zijn zoon niet herkende."

"Ik begrijp het", zei het jonge meisje en na enig aarzelen: "bent u niet van de recherche?"

"Ja."

Het meisje stond halverwege de trap en het leek wel alsof ze niet wist of ze nu naar boven of naar beneden moest gaan. Ze hield met een hand de leuning vast. Het was een lange, bleke hand.

"Maar het is toch al erg laat", mompelde het meisje.

"Ja, het is bijna half drie."

"Is er iets gebeurd?"

"Ja, de oom van de jonge meneer Bork is vannacht doodgeschoten."

Het meisje bleef doodstil staan, zodat Karwenna zich afvroeg of ze hem eindelijk wel verstaan had. "Hebt u gehoord wat ik zei?"

"Ja, ik heb het gehoord", antwoordde het jonge meisje. Het leek wel alsof ze aan het eind van haar krachten was, alsof ze zweefde en elk moment in elkaar kon storten. Maar toen bewoog ze zich en kwam naar beneden.

"Hebt u een sigaret voor mij?"

Karwenna haalde een sigaret tevoorschijn en gaf haar een vuurtje.
Ze is de kluts kwijt, dacht Karwenna.
"Hoe heet u ook alweer?" vroeg hij.
"Ursula Wenger."
"Woont u hier?"
"Ja, ik woon hier."
"Woont uw broer ook hier in huis?"
"Nee, hij heeft een kamer in de stad. Gunter Bork zou ook hem aangeboden hebben hier in huis te komen wonen, maar het huis is te klein."
"Betaalt u huur?" vroeg Karwenna.
"Nee", mompelde het meisje.
"U bent dus erg goed bevriend met Gunter Bork."
"Ja."
"Mag ik vragen hoe goed?"
"Lieve hemel," zei ze enigszins geërgerd, "waarom stelt u deze vragen? Is dat belangrijk voor u? Ik woon hier, omdat hij me gevraagd heeft hier te komen wonen. Hij heeft er ruimte voor, dus heb ik het aanbod aangenomen."
Ze keek naar de deur, waardoor Gunter Bork en zijn vader verdwenen waren.
"Hoe gedroeg zijn vader zich?" vroeg ze. "Heeft hij een aanval gehad?"
"Hij herkende mij niet. Hij herkende zelfs zijn zoon niet."
"O, lieve hemel," zei het meisje onrustig, "is het niet tragisch? Zo'n aardige, oude man. Als hij bij zijn verstand is, praat en gedraagt hij zich zo dat je niet zou geloven dat hij ziek is."
Karwenna opende de deur, luisterde.
Hij kon vaag opgewonden stemmen horen.
Het meisje was naast Karwenna komen staan. "Wanneer hij in deze toestand is, kun je hem nauwelijks in bedwang houden. Hij denkt dat hij achtervolgd wordt en ontwikkelt een enorme kracht. Hij wil dan voortdurend de straat op."
"En lukt hem dat wel eens?"
"Ja, soms wel. Gunter belt dan de politie. Die weten er al van en sturen dan een patrouillewagen om de straten af te zoeken."

Karwenna liep vastbesloten de gang uit en opende de slaapkamerdeur.

Wat hij daar zag maakte een diepe indruk op hem.

Gunter Bork hield zijn vader omklemd, drukte hem neer op het bed, knielde bijna bovenop hem en probeerde hem op zijn schouders te leggen. Hij zweette ontzettend en de oude man niet minder.

Niemand zei een woord, het was een felle, vertwijfelde krachtmeting.

Gunter Bork draaide zijn hoofd om. ”Help me dan toch”, kreunde hij.

Karwenna kwam naderbij.

”Naar beneden drukken, op het bed drukken. We moeten zijn weerstand breken.”

Karwenna legde zich met zijn volle gewicht op de oude man, die toen helemaal slap werd en geen weerstand meer bood. Hij begon te huilen en bleef heel rustig liggen.

Gunter Bork kwam overeind.

”Dank u. Hij had een aanval. Hij wist niet wie hij was, waar hij was. Hij herkende zelfs mij niet, hebt u dat gemerkt?” Hij wiste het zweet van zijn voorhoofd. ”Je vraagt je af waar hij de kracht vandaan haalt. De eerste twee dagen zal hij wel helemaal uitgeput zijn, dan komt hij zijn bed en zijn kamer niet uit.”

De oude man veegde zijn tranen niet af, maar liet ze gewoon over zijn wangen rollen.

”Ik vind het verschrikkelijk hem zo te moeten behandelen”, zei Gunter Bork. ”Ziet u hoe rustig hij nu is?”

”Ja, ik zie het. Hoe laat is uw vader naar bed gegaan?”

”Hoe laat? Om een uur of tien. Hij blijft ’s avonds nooit lang op. Hij wordt erg gauw moe.”

”Was hij erg onrustig?”

”Onrustig? Ja, dat wel. Hij bleef maar op en neer lopen. Weet u, in deze toestand verliest hij soms langzaam het bewustzijn. Het ziet er soms naar uit alsof hij er zich tegen probeert te verzetten.”

”Dus hij ging om tien uur slapen?”

”Ja, om tien uur. Kort daarna.”

"Waar is uw kamer? Naast de zijne?"

"Nee, de kamer van de verpleegster is naast de zijne en zij had vandaag vrij. Ik woon aan de andere kant."

"Kan uw vader opstaan zonder dat u het merkt?"

Gunter Bork antwoordde niet, keek Karwenna ingespannen aan. Zijn gefronste wenkbrauwen veroorzaakten een rimpel boven zijn neus.

"Aha", zei hij.

"Waarom zegt u 'aha'?"

Gunter Bork lachte. "Nou ja, moet u eens horen. Ik geloof dat ik me heel goed in u kan verplaatsen. Ik weet wat u denkt."

"Wat denk ik dan?"

Gunter Bork lachte spottend. "Mijn vader heeft u aan het schrikken gemaakt. U heeft gezien dat hij onberekenbaar is."

De jongeman stak zijn wijsvinger uit en prikte er Karwenna mee in zijn borst. "Bent u niet op zoek naar iemand die onberekenbaar is? Misschien heeft de aanblik van mijn vader u op het idee gebracht dat hij tot alles in staat is." Hij lachte nerveus. "Kom, geef het maar toe, ik kan toch aan u zien wat u denkt."

"Heeft uw vader de neiging tijdens zo'n aanval het huis te verlaten?"

De jongeman bleef lachen, maar het was een geforceerd lachje, dat er niet echt uitzag en dat bedoeld leek om zijn werkelijke gevoelens te verbergen.

"Hoe komt u daarbij? Nee, hij verlaat het huis niet."

"Neem me niet kwalijk", klonk toen de stem van het meisje, dat in de deuropening was verschenen.

Gunter Bork draaide zich haastig om.

Op de drempel stond het jonge meisje, dat zenuwachtig met haar hand de kraag van haar ochtendjas tegen haar hals drukte. Ze zei: "Ik heb gezegd dat je vader tijdens zijn aanvallen probeert de straat op te gaan en dat je hem vaak door de politie hebt laten opsporen."

"O," mompelde de jongeman, "je bent dus wakker geworden."

"Ja, ik hoorde eerst de bel en toen stemmen. Ik kwam in de gang deze politieman tegen."

"Nou goed dan," zei de jongeman, terwijl hij zich tot Karwenna wendde, "mijn vader is op die momenten erg moeilijk vast te houden en ik heb hem inderdaad wel eens door de politie moeten laten zoeken. Ze vinden hem altijd erg snel. Hij loopt nooit verder dan twee, drie straten."

Hij keek naar zijn vader.

De oude man lag met zijn ogen open. Hij huilde niet meer, maar zijn gezicht was nog nat van tranen. Hij zag er meelijwekkend uit.

Karwenna vroeg: "Welke kleren had hij aan?"

Hij liep naar de klerenkast en opende hem.

"Vindt u het goed dat ik even zijn kleding doorzoek?"

"Wat vermoed u dan?" riep de jongeman opgewonden en voegde er onmiddellijk aan toe: "maar doet u alstublieft wat u niet kunt laten."

Hij ging naast het jonge meisje staan, dat geruststellend haar hand op zijn arm legde en bleef zo rechtop staan, dat het leek alsof hij opgeblazen was. Hij stond opnieuw spottend te lachen.

"Ik kan uw gedachten lezen. Deze man een moordenaar? Bent u op dat idee gekomen?" Hij riep opgewonden uit: "Maar stoort u zich niet aan mij."

Karwenna voelde zich onder druk staan. Hij voelde zich in een vreemde situatie en hij was kwaad omdat hij er geen greep op kon krijgen.

Op het bed de oude man, die eruit zag alsof hij zo licht als een veertje was en die op zijn rug lag en niet eens in staat was zijn hoofd te bewegen. Zijn natte gezicht, zijn vermoeide ogen.

Bij de deur de jongeman, die bijna op zijn tenen stond en een minachtend lachje op zijn gezicht had en naast hem een bijzonder ernstig kijkend meisje.

"Uw vader kan heel goed het huis hebben verlaten. Uw oom woont hier niet ver vandaan."

"Zoekt u maar," riep de jongeman, "doorzoekt u het hele huis maar."

Karwenna betastte de kleren, trok laden open, keek in de linnenkast. Tenslotte tilde hij zelfs het matras op, waarop de oude man lag.

Uiteindelijk was Karwenna klaar met het doorzoeken van de kamer.

"Wantrouwt u altijd zieke mensen?" riep de jongeman. "Maar ik begrijp het wel, dat komt wel vaker voor. De politieagenten, die mijn vader terugbrengen, doen ook altijd net alsof ze een dolle hond hebben gevangen."

Hij liet een beetje lucht uit zijn longen ontsnappen, hij stond niet langer op zijn tenen, liet zijn schouders hangen en de ironische blik verdween uit zijn ogen.

"Klaar?" vroeg hij.

Karwenna verliet de slaapkamer en bleef even aarzelen. Het leek wel alsof Gunter Bork raadde wat hij wilde vragen. "We kunnen hem nu gerust alleen laten. Hij is zo goed als dood. Morgenochtend zal hij nog steeds zo op zijn rug liggen. Wanneer hij in deze toestand verkeert, lijkt hij wel dood."

Karwenna liep terug naar de hal. Hij voelde zich opeens erg moe en kon nog nauwelijks helder denken.

Hij wendde zich tot Gunter Bork. "Heeft u er enig idee van wie uw oom neergeschoten kan hebben?"

De jongeman haalde zijn schouders op. "Nee," zei hij, "nou vraagt u me teveel."

Teveel gevraagd, dacht Karwenna, wat een uitdrukking! Hij liep naar de deur en verliet het huis. Hij hoorde hoe de huisdeur achter hem werd gesloten. Karwenna stapte in zijn auto.

Ik kan niet zeggen dat ik vooruitgang heb geboekt, dacht hij. Maar er is wel het een en ander gebeurd. Er zijn een paar nieuwe gegevens aan het licht gekomen. De Chileense woonde bij de Borks in huis. Daar kon je uit afleiden dat er een tamelijk innige band tussen hen moest bestaan. Het meisje maakte een sympathieke indruk, ze was ernstig, kalm, beheerst. Ze schiep een zekere afstand, misschien hadden haar ouders haar dat wel geleerd. Misschien maken zwartharige meisjes wel altijd een positieve indruk op mij, dacht Karwenna verdrietig. Hij reed nogmaals langs de plaats van het misdrijf. Het huis was tot Karwenna's verbazing in duisternis gehuld. Iedereen was vertrokken, de auto's waren weg, er brandde geen licht meer.

Karwenna staarde naar het huis.

Het lag daar alsof er niets was gebeurd. De olmen, die in de tuin stonden, ruisten in de wind, het maanlicht scheen op het dak en verspreidde een vaalgeel licht. Alle buren, die zoëven nog geschrokken en opgewonden waren, waren weer naar bed gegaan. De rust was teruggekeerd.

Karwenna startte zijn auto en reed naar huis. Ook zijn woning was in duisternis gehuld. Hij deed geen licht aan, kleedde zich uit en vond op de tast de weg naar zijn bed.

Zijn vrouw sliep, hij kon haar diepe ademhaling horen. Karwenna bemerkte dat zijn zintuigen gescherpt waren. Plotseling bracht zelfs de slaap hem aan het schrikken, de slaap van zijn vrouw, de slaap van alle mensen in deze nacht en zijn eigen slaap, waartegen hij zich verzette en die hem tenslotte toch overmande.

★

De wekker rukte hem uit zijn slaap.

Hij werd er niet echt wakker van. Zijn vrouw schudde hem door elkaar. "Hé," zei ze, "je moordzaken roepen je. Je verwachtte toch het resultaat van een laboratoriumonderzoek?"

Karwenna besefte ondanks zijn moeheid dat zijn vrouw hem op een nogal spottende manier wakker maakte.

Hij stond zwijgend op en liep naar de badkamer. Hij begon zich woedend te wassen en te scheren.

Wat is er eigenlijk aan de hand? dacht hij verbitterd. Wat heeft ze op mij tegen? Waarom doet ze zo vijandig tegen mij? Wat heb ik haar aangedaan? Ze kan het me toch niet kwalijk nemen dat ik mijn beroep met plezier, ja zelfs met hartstocht uitoefen? Ik produceer niets, ik beheer niets, ik drijf geen handel, ik heb met de meest menselijke materie te maken, die er bestaat: met de misdaad. En de misdaad is een deel van onszelf, misschien een onbekend deel van onszelf.

Helga had in de keuken al het ontbijt klaargemaakt.

"Ik heb je fotoalbums hier neergelegd."

Karwenna dacht: De albums. Hij zag onmiddellijk een rij foto's voor zich, alsof er slechts een klein duwtje nodig was geweest om Carola's foto's weer voor de geest te halen.

Hij lachte, werd van het ene moment op het andere wat rustiger en zei bijna sussend: "Ja, ik zal ze weer meenemen."

Helga had haar ochtendjas nog aan. Ze zou nog even terug naar bed gaan. Toen ze wegliep viel haar ochtenjas open en werden haar dijen zichtbaar.

Karwenna kwam in de verleiding zijn hand naar haar uit te strekken, maar hij bedacht zich.

★

Er was niet veel te doen op het bureau.

Karwenna was in feite als een van de eersten binnengekomen.

Wagner was al weggegaan, maar had Karwenna's bureau vol gelegd met gegevens over de moord van de nacht ervoor. Ook de foto's waren al ontwikkeld en toonde de plaats van het misdrijf. Karwenna beek de foto's.

Vader en dochter een paar dagen na elkaar vermoord. Er bestond geen twijfel over of het was één en dezelfde moordenaar.

Karwenna's fantastie begon te werken. Hij zat in elkaar gedoken achter zijn bureau.

Was de tweede moord bedoeld als afleidingsmanoeuvre? Was deze bedoeld om de oplossing van de eerste moord moeilijker te maken? Had de moordenaar het gevoel gehad dat men er spoedig achter zou komen dat hij de dader was? En wie zou het kunnen zijn? Of lag het allemaal heel anders? Was er sprake van een totaal ander motief? Een motief dat betrekking had op beide moorden? De familie?

Wacht eens even, wacht eens even, dacht Karwenna. Wie kan erbij gebaat zijn dat zowel de vader als de dochter dood zijn? De man was welgesteld, hij was de eigenaar van een bedrijf. Lieve hemel, dacht Karwenna, daar heb ik nog helemaal niet bij stil gestaan. Wat voor soort bedrijf is het? Hoeveel is het waard? Hoe groot zou de omzet van dat bedrijf zijn?

Karwenna haalde zich Gunter Bork en diens vader voor de geest. Weer bedacht hij dat Gunter Bork eigenlijk wel opgewonden was geweest. Was hij altijd al zo intens, zo opgewonden en zo ironisch geweest? Waren dat karaktertrekken van hem of waren het reacties ergens op?

Ik heb mensen nodig, die de jongen kennen, dacht Karwenna.

Er waren intussen verschillende mensen op het bureau gearriveerd. Iedereen liep met een boog om Karwenna heen, die nietsziend voor zich uit zat te staren.

Totdat Henk hem even aanstootte. "Wat is er? Zit je te mediteren?"

"Ja", zei Karwenna en schoof hem de stapel papieren toe, die Wagner op zijn bureau had gelegd.

Henk bekeek de foto's.

"Carola's vader", mompelde Karwenna.

Henk floot tussen zijn tanden, ging zitten en las vlug de onderzoek gegevens door. Hij ademde uit, zat er wat sloom bij, maar zijn ogen had een heldere uitdrukking: "Lieve hemel, er gebeurt heel wat in de wereld. We gaan wel vooruit, al weet ik niet waartoe het zal leiden, maar er zit tenminste beweging in. Dat geeft me hoop. " Karwenna lachte.

Hij liet een kop koffie brengen. "Ik ben nog niet helemaal wakker", zei hij, maar dat veranderde opeens toen de bode van de rijksrecherche kwam.

Het resultaat van het laboratoriumonderzoek, dacht Karwenna. Hij scheurde de envelop open en vloog over de regels tekst.

Henk stond naast hem, maar kon de uitslag niet lezen. Ongeduldig vroeg hij: "Wat staat er?"

Karwenna liet het onderzoekrapport zakken. Hij schudde zijn hoofd. "De kogel, die Carola Bork heeft gedood, is niet uit het zelfde wapen afgevuurd als de kogel, die wij hebben laten onderzoeken."

"Nee-?" vroeg Henk stomverbaasd, want hij had een ander resultaat verwacht.

"Kunnen ze geen fouten hebben gemaakt?"

"Nee, ze zijn er zeker van."

Henk dacht een ogenblik na. "Moet je eens luisteren," zei hij toen, "die ellendige butler heeft ons voor de gek gehouden. Wie weet met welk wapen hij in het bos heeft geschoten."

Karwenna haalde zijn schouders op.

Henk riep uit: "Ze proberen ons voor de gek te houden. Ze spelen onder één hoedje, die butler en zijn chef. Schulz is immers afhankelijk van Rudi Stöhr. Ik vond het al een beetje vreemd toen hij opeens hierheen kwam met dat verhaal over dat schieten in het bos." Henk begon steeds vuriger te spreken: "Wat ze gedaan hebben is erg slim: Rudi Stöhr belt 's nachts bij Bork aan, laat de man naar de deur komen en schiet hem neer. Er is geen betere manier te bedenken om de politie af te leiden."

Karwenna dacht ernstig na over wat Henk had gezegd, schudde toen zijn hoofd.

"Te onwaarschijnlijk", zei hij. "Ik wil wat je zegt niet uitsluiten, maar gewoonlijk is de oplossing eenvoudiger, veel eenvoudiger."Henk ging zitten, stak een sigaret op. "Dat is alles wat ik kan bedenken. Mijn hersens produceren geen enkele andere gedachte meer."

Karwenna stak zelf ook een sigaret op en begon te vertellen over zijn nachtelijk bezoek aan Gunter Bork.

Henk keek op.

"Man," zei hij opeens, "hebben we dan soms toch iets over het hoofd gezien? Heeft de zaak misschien met geld te maken?"

Karwenna belde Bork op. Een vrouw nam de telefoon aan.

De vrouw noemde zich Zuster Wanda. Ze was de verpleegster van de oude meneer Bork. De jonge meneer Bork was al naar zijn werk.

Er woont toch nog een jonge vrouw in het huis, juffrouw Wenger?

Die is ook al weg. Ze rijdt iedere dag met de jonge meneer Bork naar haar werk.

"Ik kom even bij u langs", zei Karwenna. "Ik moet met u spreken."

Hij wachtte het antwoord van de vrouw niet af, liep naar zijn auto en reed weg.

Het ritje deed hem goed. Hij draaide het raampje open en genoot van de scherpe, koude wind.

Hij was in een goed humeur en hij had het gevoel dat er die dag iets zou gaan gebeuren, alhoewel hij niet had kunnen zeggen waarom hij dat gevoel had.

★

Een oudere vrouw deed de deur voor Karwenna open en liet hem binnen.

De vrouw was ongeveer veertig en had harde, waakzame trekken, zoals je wel vaker ziet bij verpleegsters met jarenlange ervaringen in het vak. Ze had een toegeknepen mond, droeg een bril, waarachter grijze, nuchter kijkende ogen zaten. Ze had asblond haar, dat ze bij elkaar had gebonden alsof ze zich ervoor schaamde. Waarschijnlijk had ze haar zusterskapje al zolang gedragen, dat ze eenvoudig geen interesse meer voor haar haar had.

"Kommissaris Karwenna", stelde Karwenna zich voor.

"Komt u verder."

De zuster liep met Karwenna naar de huiskamer. Karwenna keek zoekend om zich heen,maar hij zag de oude meneer Bork nergens.

De vrouw had zijn blik begrepen. "Meneer Bork ligt nog op bed. Hij heeft vannacht een aanval gehad en dat put hem altijd bijzonder uit. Hij moet dan meestal twee dagen in bed blijven." Ze keek Karwenna met een nuchtere blik in haar ogen aan. "Wilde u mij iets vragen?"

"Ja. Is de zieke, die u verzorgt, gevaarlijk?"

"Wilt u een certificaat? Dat kan ik u niet geven. Daarvoor moet u bij een psychiater zijn."

"Ik wil uw mening."

"Ja, maar," zei de verpleegster met tegenzin, "u wilt mijn mening hebben om er conclusies uit te kunnen trekken. Dat zou wel eens ingrijpende gevolgen kunnen hebben. Waarvoor ik me dan verantwoordelijk zou voelen."

"Nee," zei Karwenna, "ik ben niet thuis op dit terrein. Ik zie een aardige, oudere heer voor me, die met mij praat. Een paar uur later herkent hij mij en ook zijn zoon niet meer."

"Ja, dat is het ziektebeeld", zei de verpleegster.

"Het enige wat ik wil weten is of een mens die zo zijn bewustzijn verliest, gevaarlijk voor anderen is."

De vrouw keek onwillig. Ze scheen na te denken. Ze liep naar de tafel en haalde een sigaret uit een koker. Met bijna mannelijke, hoekige bewegingen streek ze een lucifer af en stak ze haar sigaret aan. Je kon zien dat ze zich hier thuis voelde. Ze blies op krachtige, ongegeneerde wijze de rook uit.

"Daar kan ik niets over zeggen," zei ze tenslotte, "ik persoonlijk acht deze oude heer ongevaarlijk, absoluut ongevaarlijk, maar ik durf dit niet te zeggen, omdat hij morgen wel het tegendeel kan bewijzen. Alhoewel dat me wel zou verbazen."

"Waaruit bestaat zijn ziekte?"

"U hebt het toch gezien. Hij is schizofreen. Hij glijdt onverwacht in een andere bewustzijnstoestand. Het is net alsof iemand aan het dromen is, zonder te slapen. Het is precies zo, hij ziet dingen en mensen anders, groter, kleiner, zijn gevolgtrekkingen zijn niet normaal, ze zijn verwant aan die welke dromen voorkomen, er is sprake van overdrijving, vergissingen. Het kritische bewustzijn wordt gewoon uitgeschakeld, het oordeelsvermogen wordt aangetast."

"Ja, moet u eens luisteren," mompelde Karwenna, "wie zichzelf en zijn handelingen niet normaal meer kan beoordelen..."

"Wat wilt u daarmee zeggen?" riep de verpleegster bijna agressief, "dat zo'n mens direct een misdadiger is?" Ze schudde haar hoofd. "Ik weet waarom ik normale mensen niet graag over dit soort ziekten vertel; ze schrikken er altijd erg van."

Ze voegde er brutaal aan toe: "Weet u dat ook u ziek bent?"
"Ik?"
"Ja, ieder mens is in een bepaald opzicht ziek. Zogenaamd gezonde mensen bestaan niet, omdat absolute gezondheid niet bestaat. Ieder is wat zijn geestelijk, psychische gesteldheid betreft, een samenstelling, een mengsel, dat meer of minder harmonisch is. Als ik u zou onderzoeken zouden we ook uw problemen te weten komen."
Karwenna lachte, maar toch spraken de woorden van de vrouw hem wel aan. Hij had het gevoel dat hij iets belangrijks had gehoord en hij besloot erover na te denken.
"Bij de oude heer is het als het ware zo" - ging de verpleegster verder - "dat gewichten en betekenissen soms verschuiven, zoals een wiel plotseling uit balans raakt. Vele mensen gaan zo ongebalanceerd door dit leven. Ze staan niet meer met beide benen op de grond, zoals men dat zo mooi zegt, maar proberen zich opeens maar op één been staande te houden op een plaats waar je helemaal niet kunt staan, zodat je omvalt."
De verpleegster rookte flink.
"Ik weet niet of u me goed begrijpt. Als ik over omvallen spreek, dan meen ik wat ik zeg. Het is alsof je tegen een muur leunt, waarvan je denkt dat hij stevig vast staat en die je als steuntje nodig hebt, waarna die muur opeens omvalt."
"Goed, zuster, maar ik herhaal mijn vraag: Kan zo'n mens, wanneer hij zich in zo'n toestand bevindt, een misdrijf plegen?"
"Lieve hemel", antwoordde de zuster. "Natuurlijk." En ze voegde er enigszins aan toe: "Wat dat betreft doen ze niets voor gezonde mensen onder."
Karwenna besteedde geen aandacht aan haar spot.
"Kunt u iets zeggen over de relatie tussen de twee broers?"
"Ik ken de andere meneer Bork helemaal niet. Hij is hier al in geen twee jaar geweest."
"Dus het was niet zo'n beste verstandhouding?"
"Gezonde mensen houden nu eenmaal niet van zieken en zeker niet wanneer het om geestesziekte gaat. Ze mijden hen als de pest, ze gaan hen uit de weg. Vooral wanneer het familieleden zijn."
"Vooral wanneer het familieleden zijn?"

"Ja, natuurlijk, omdat ze bang zijn dat die ziekte ook in hen zit, dat het erfelijk is."

Karwenna zweeg een tijdje. Hij zocht naar zijn sigaretten. De zuster begreep waar hij naar zocht en schoof hem haar sigaretten toe.

Karwenna nam er een. Hij liep de kamer op en neer en bleef bij het raam staan, keek de tuin in en draaide zich toen langzaam om. "Vertelt u me eens", mompelde Karwenna, "is zo'n ziekte erfelijk?"

"Ja, inderdaad."

De verpleegster bleef Karwenna plotseling onbeweeglijk aanstaren. Enigszins buiten adem ging ze verder: "Maar dat is een moeilijk onderwerp."

Karwenna's blik liet haar geen moment los. "Hoe lang bent u al verpleegster?"

"Al meer dan vijftien jaar."

"Bijna psychisch gestoorden?"

"Ja, ik heb een tijd in gesloten inrichtingen gewerkt."

"Tja, met uw ervaring," mompelde Karwenna, "bent u toch zeker wel in staat mensen, die u ontmoet, met wie u te maken hebt, te classificeren."

"Hoezo classificeren?"

Karwenna bemerkte weerstand bij de verpleegster.

"U bent toch zeker in staat te zien wie aanleg heeft voor zo'n ziekte, bij wie zich die ziekte reeds aankondigt, bij wie die ziekte zich misschien zal manifesteren? Er moeten toch bepaalde kenmerken, aanknopingspunten, symptomen zijn..."

"Wat wilt u eigenlijk zeggen?" riep de vrouw geërgerd.

Karwenna zweeg even. Toen zei hij: "Gunter Bork. Ik vraag naar de zoon van de zieke, die u verzorgt."

De verpleegster drukte zenuwachtig haar sigaret uit. "Hoe komt u daarbij?" vroeg ze onrustig.

"Dat zal ik u graag vertellen. Het is mij opgevallen dat deze jongeman verschilt van normale mensen. Zijn stem heeft een vreemde toon, de manier waarop hij spreekt en de manier waarop hij zich gedraagt is bijzoner intens, het is in ieder geval niet normaal, ongebalanceerd, om een woord te gebruiken, dat u zelf zojuist hebt gebruikt. U hebt over onevenwichtigheid gesproken. Deze onevenwichtigheid constateer ik bij deze jongeman."

"Moet u eens luisteren", riep de zuster fel. "Wanneer u het gedrag, de toon van spreken van mensen onderzoekt, zult u altijd wel dingen vinden die niet kloppen. Niets is gemakkelijker dan de geestelijke gezondheid van een mens in twijfel te trekken." Ze herhaalde dit verschillende malen. "Ik heb het vaak meegemaakt dat zelfs een arts zich heeft vergist." De verpleegster was opeens buiten zichzelf en zei: "Ik wil dit gesprek beëindigen."

Ze ademde inderdaad sneller. Het was duidelijk dat ze opgewonden was. Ze nam haar bril af en begon zo energiek de glazen te poetsen, dat Karwenna bang was dat ze zouden breken.

Zachtjes zei Karwenna: "Was die gedachte ook bij u opgekomen?"

"Nee, u hebt het bij het verkeerde eind", beweerde de zuster bijna geschrokken.

"Oké, laat maar." Karwenna stak geruststellend zijn hand op, "ik heb nog één vraag: kent u het jonge meisje, dat hier in huis woont?"

"Ja," zei de verpleegster onmiddellijk bereidwillig, "een heel aardig meisje, erg - erg gezond, ja dat is ze, een meisje met heel gezonde reacties. Zij zou zeker geen zieke uitkiezen om mee te trouwen."

"Trouwen?" vroeg Karwenna verrast.

"Ja, dat is een uitgemaakte zaak. En ik ben blij voor Gunter Bork, ik ben oprecht blij voor hem."

Ook dit herhaalde ze verschillende malen, knikte en maakte een krachtige handbeweging.

"Nog één vraag," zei Karwenna tenslotte, "weet u toevallig of er hier in huis een wapen is?"

De vrouw keek Karwenna geschrokken aan. "Wapen? Wat bedoelt u?"

"Een pistool."

"Nee," de vrouw schudde haar hoofd, "dat heb ik nooit gezien." Ze haalde diep adem. "Maar waar denkt u in vredesnaam aan?"

Karwenna verliet de woning.

De verpleegster begeleidde hem tot aan het tuinhek. Ze was erg opgewonden, bijna buiten adem. Het gesprek scheen haar uitgeput te hebben.

"Wat een afschuwelijk beroep heeft u", mompelde de vrouw.

"Ik vind het uwe nog veel afschuwelijker", antwoordde Karwenna en lachte flauwtjes. Hij stapte in zijn auto en reed weg.

★

Zoals gewoonlijk overdacht hij wat hij had gehoord. Er waren twee belangrijke dingen. Ten eerste: Gunter Bork wilde gaan trouwen? Waarom had iemand daar ooit iets over gezegd? Maar goed, het was tenslotte een privé-aangelegenheid, waar het onderzoek zich niet in had gemengd.

De tweede zaak was nog belangrijker.

Karwenna had de indruk dat de verpleegster in grote verlegenheid was geraakt toen zij de vraag moest beantwoorden over de geestelijke gezondheid van Gunter Bork. Ze was duidelijk opgewonden geraakt, ze had zich koortsachtig bewogen. Karwenna kende de lichaamstaal van mensen, die tijdens die tijdens verhoren hun onzekerheid proberen te verbergen.

Karwenna besloot een bezoek aan het bedrijf van de Borks te brengen.

Hij bereikte de stadsrand van München, waar zich in de nabijheid van het vliegveld verscheidene kleine bedrijven en depots bevonden en de aanblik van een goed onderhouden industriererrein bood: beton, veel glas, grote, groene vlakten.

Hij zag reeds op een afstand een rond fabrieksmerk op een gebouw staan: Bork Electronica.

Karwenna reed naar het hoofdgebouw.

Al bij het uitstappen nam Karwenna het gebouw op en bemerkte hij hoe modern het was, hoe fonkelend nieuw. Glazen klapdeuren leidden naar de hal, die een marmeren vloer had.

In het gebouw zelf kon je geen fabrieksgeluiden horen. Er heerste een aangename stilte.
Gunter Bork kwam zijn kantoor uit om Karwenna bij de receptie af te halen.
De jongeman lachte en stak Karwenna bijna hartelijk zijn hand toe.
"U duikt ook op de onwaarschijnlijkste plaatsen op," lachte hij, "maar om de waarheid te zeggen, ik had u al min of meer verwacht."
Hij leidde Karwenna het kantoor van de chef binnen.
Een oudere secretaresse draaide zich nieuwsgierig om toen Karwenna binnenkwam.
"Mevrouw Flohe," zei Gunter Bork, "dit is kommissaris Karwenna. Hij onderzoekt de moorden. Hij heeft volgens mij nauwelijks tijd dat hij slaapt. Of niet soms?" richtte hij zich tot Karwenna.
Die knikte. "Ja, veel rust heb ik op het ogenblik niet."
Karwenna nam de omgeving in zich op, zag het goedverzorgde kantoor, de inrichting, mahonie, foto's van zeilschepen aan de muur. Mevrouw Flohe was ongeveer vijftig jaar oud, slank, bijna mager. Ze maakte een ingetogen indruk. Ze had strak gespannen wangen en een enigszins spitse kin. Ze zag eruit als een lichtgewicht atlete, die erg laat van beroep was gewisseld en zich nu vol energie en met veel uithoudingsvermogen aan haar werk wijdde. Ze was nogal zwijgzaam, dacht Karwenna terwijl hij haar nauwkeurig opnam.
"Gaat u maar mee", zei Gunter Bork, terwijl hij de deur naar de feitelijke kantoorruimte opende.
"Hier heeft mijn oom gewerkt. Dit is zijn kamer, daar staat zijn bureau. Zijn dood heeft ertoe geleid, dat ik met werk word overspoeld. En het is werk waar ik helemaal niet tegen opgewassen ben. Ik moet beslissingen nemen over dingen die mij totaal vreemd zijn."
"Heeft u dan niet onder leiding van uw oom gewerkt?"
"Nee, ik zat op de verzendafdeling. Weet u, ik heb organisatietalent, ik heb de gehele verzending gesystematiseerd.
Het is een soort hobby van me. De werkhandelingen sluiten met een nauwkeurheid van seconden op elkaar aan. Daar is

veel denkwerk voor nodig geweest. Waar ik veel plezier in heb gehad. Mijn oom was erg tevreden over me. Dat heeft hij me vaak gezegd."

Mevrouw Flohe stond in de deuropening te luisteren.

"Is dat niet zo, mevrouw Flohe?" wendde Gunter Bork zich tot de secretaresse.

"Ja, dat klopt", antwoordde mevrouw Flohe met een stem, die veel melodischer klonk dan men uit haar uiterlijk kon afleiden.

De jongeman wees op het bureau. "Maar dit hier is niets voor mij."

Hij ging op de stoel bij het bureau zitten, bleef een tijdje peinzend voor zich uitkijken en zei toen hoofdschuddend: "Het zal even duren voor ik eraan gewend ben."

Hij stond weer op, alsof hij het onbeleefd vond die plaats in beslag te nemen.

"Dus-" zei hij, "om op de reden van uw bezoek te komen: Wat is er voor nieuws?"

"Niets. Er is in de verste verte geen spoor, geen direct spoor. We tasten wat betreft deze moord nog meer in het duister dan wat betreft de moord op Carola."

"Ja," mompelde de jongeman, terwijl hij de deur van de voorkamer dichtdeed, "is het niet eigenaardig? Er is helemaal geen verklaring voor, volgens mij tenminste niet, en ik heb toch ook wel een reden om erover na te denken. Maar er gebeurt niets in mijn hoofd. Het is daarbinnen gewoon windstil. Een onaangenaam gevoel."

Karwenna lusiterde naar zijn woorden.

De jongeman drukte zich wel op een vreemde manier uit, hij drukte zich opeens nogal plastisch uit.

Karwenna nam Gunter Bork aandachtig op: zijn gezichtsuitdrukking, zijn enigszins scheef lachje, dat zijn gezicht nooit verliet. Het leek wel alsof dit lachje in zijn mondhoeken zat, daar bleef wachten om zich af en toe over zijn gezicht te verspreiden om zich vervolgens terug te trekken.

Dat vind ik allemaal niet normaal, dacht Karwenna.

"Misschien zullen we de moorden nooit oplossen," zei Gunter Bork plotseling, "weet u dat ik me al met dat idee verzoend heb?"

Karwenna antwoordde niet, nam nog steeds de omgeving en de manier waarop de jongeman zich gedroeg in zich op.

Lieve hemel, dacht Karwenna, hij praat te oppervlakkig en ik mis dingen bij hem, die toch natuurlijk zijn: zoals ernst, trouw, schrik. Voelt hij dat soort dingen dan niet?

"Komt u maar mee", zei Gunter Bork, "dan zal ik u het bedrijf laten zien."

Hij wachtte Karwenna's antwoord niet eens af, maar leidde hem gelijk de gang op.

"Het bedrijf is tamelijk nieuw. Het werd vijf jaar geleden gebouwd en is in zijn soort het modernste wat je je maar kunt indenken. Niet alleen dit gedeelte, waar kantoren zich bevinden, maar ook de produktie-afdeling."

Hij opende een paar deuren en liet Karwenna naar binnen kijken.

Overal draaiden medewerkers zich om om te zien wie daar was, waarna Gunter Bork weer abrupt de deur sloot.

"We hebben erg goede medewerkers, waarvan een gedeelte hier al lang werkt. Ik zal op hen moeten vertrouwen." Hij sprak hulpeloos zijn handen omhoog, "ik heb helemaal geen ervaring."

Hij lachte, hij scheen zich er niet al teveel zorgen over te maken. Hij lachte voortdurend.

Nou, nou, dacht Karwenna, ik zou graag eens een psychologisch rapport over jou hebben.

Gunter Bork opende de deur. "Gaat u maar naar binnen", zei hij.

Het was een klein kamertje, dat prettig aandeed. De zon scheen naar binnen. De kamer lag op het zuiden.

Een jong meisje draaide zich om en stond direct op.

Het was Ursula Wenger.

"Ursula," zei Gunter Bork, "de kommissaris schijnt ons dag en nacht te achtervolgen."

"Dag, commissaris", mompelde het meisje.

Karwenna stak haar zijn hand toe.

Ze beantwoordde zijn handdruk. Haar hand voelde koel, bijna koud aan. En hij dacht: ze ziet eruit alsof ze erg van mij geschrokken is!

Karwenna verscherpte al zijn zintuigen. Zijn blik liet het meisje geen moment los, hij probeerde uitleg te geven aan haar bewegingen, haar woorden.

Ze sprak zachtjes, alsof ze haar stem niet durfde te verheffen.

Karwenna zei: "Ik heb vanmorgen al met de verpleegster gesproken. Ik heb van haar gehoord dat jullie gaan trouwen, klopt dat?"

"Ja," zei Gunter Bork lachend, "dat klopt." Hij lachte: "Zoiets zult u wel vermoed hebben toen u Ursula gisternacht zag." Zijn stem kreeg een hartelijkere klank: "Ik verhuur nu eenmaal geen kamers aan werknemers." Hij stak zijn hand uit, raakte Ursula aan, die niets deed om hem tegemoet te komen en bleekjes met teneergeslagen ogen bleef staan.

Wat is hier aan de hand? dacht Karwenna.

Hij deed zijn best vriendelijk te zijn en vrijblijvend te praten. Hij vroeg naar haar werk, bekeek haar bureau, vanwaar je naar buiten kon kijken. Tenslotte vroeg hij naar haar broer.

"Ja," riep Gunter Bork enthousiast, "daar had ik u ook naar toe willen brengen. Hij werkt op de afdeling planning, dat zit in het volgende kantoor. Wist u dat hij technicus is? Een erg goede ook en we zijn blij dat hij voor ons is komen werken."

Hij stond stil en voegde er plotseling aan toe: "Dat is iets wat mijn oom heeft gezegd en hij is altijd erg kritisch. Over Ursula's broer heeft hij gezegd dat hij een aanwinst voor het bedrijf was, een goede aanwinst."

Gunter Bork liep met Karwenna de gang op. Karwenna keek om en zag Ursula naast haar bureau staan. Ze zag er bleek en ernstig uit. Het leek wel alsof ze vol - ja, vol wat zat? Vol ontzetting, angst, schrik? Iets in die geest was het wel, dat een verlammend effect op haar had gehad. Gunter Bork liep met flinke passen de gang door en wendde zich tot Karwenna.

"Merkwaardig," zei hij, "vanmorgen was ik nog bang voor het feit dat ik dit werk moest overnemen. Ik begin geloof ik aan het idee te wennen. Je moet er even inkomen." Opnieuw begon hij zenuwachtig te lachen: "Is het mij niet aan te zien?"

"Ja, het ziet ernaar uit dat u plezier in uw werk zult krijgen."

Gunter Bork duwde de volgende deur open.

Er bevonden zich enkele mannen met grijze overalls aan in het vertrek. De wanden hingen vol met tabellen, curves, grafische voorstellingen.

”Erich”, riep Gunter Bork.

Een jongeman kwam op hen toelopen. Karwenna herkende hem. Het overall, dat hij droeg, leek op een uniform. Erich Wenger had hetzelfde smalle gezicht als zijn zus. Ook hij had een dunne, bleke huid, de vorm van het gezicht was duidelijk: de wangen, de jukbeenderen, het begin van het voorhoofd. Hij had geen grof gezicht, je kon de aderen zien kloppen onder de huid van zijn voorhoofd. Hij had een smalle, niet te korte neus en een goed profiel. Het was in ieder geval een gezicht dat op een zekere geestelijke ontwikkeling duidde.

”Hebt u gehoord wat er vannacht is gebeurd?” vroeg Karwenna.

”Ja,” zei de jongeman, ”Gunter Bork heeft het me verteld. De chef is om het leven gebracht, voor zijn huis.”

”Ja”, zei Karwenna en bemerkte dat Gunter Bork naast hem was komen staan. De jongeman stond bijna op zijn tenen, bewoog zich op en neer, zoals iemand zijn lichaam beweegt die in een goed humeur is en dat op de een of andere manier wil laten blijken.

”Het is een volslagen raadsel voor ons,” zei Gunter Bork, ”de kommissaris is doodop. Of niet soms?” wendde hij zich tot Karwenna. ”U ziet er wat bleker uit dan gisteren.” Hij lachte.

Karwenna richtte zich weer tot Erich Wenger.

Hij zag dat Wenger een onderzoekende blik op Gunter Bork had gericht. Een bijna bezorgde blik. Plotseling wenste Karwenna dat hij met hem over Gunter Bork kon praten.

Wenger maakte een intelligente indruk, hij kende Bork, zijn zus zou met Gunter Brok gaan trouwen. Hij zou om die reden dus best bijzondere belangstelling voor Bork kunnen hebben en hij zou vast en zeker over hem hebben nagedacht.

Gunter Bork had haast. ”Laten we verder gaan, kommissaris”, zei hij. ”Laten we geen tijd verliezen. U moet beslist de produktieafdeling zien.”

Karwenna aarzelde even en toen hij met Gunter Bork de kamer uitliep, keek Erich Wenger hem met een rustige blik in zijn ogen na.

Gunter Bork sloot de deur. "De produktie is het belangrijkste. Die is volledig geautomatiseerd."

Hij liep snel verder, ging een aantal trappen af en opende tenslotte een stalen deur. Ze kwamen in een grote fabriekshal terecht. Er was een hoog, plat dak, waardoor het licht in brede banen naar binnen scheen. De hal stond vol machines, persen en apparaten, waarvan de functie niet duidelijk was. Alles bewoog hier. Er waren lopende banden in bedrijf, losse, kleine onderdelen werden via takels getransporteerd, kwamen in machines of onder persen en kwamen er aan de andere kant bewerkt, veranderd, kleiner of groter weer uit. Allerlei geluiden drongen het oor binnen, een groot aantal verschillende geluiden, technische geluiden: gerinkel, gebonk, geklap, gezaag, geklik, gestamp. Kloksignalen gaven doorgangen aan, gaven meldingen door, een symphonie van geluiden. Het waren niet zulke harde geluiden, nee het waren veeleer zwakke, gedempte geluiden, alsof het helemaal niet belangrijk was dat men zo kon horen, alsof het slechts bijprodukten van een onbekende, belangrijke arbeid waren, die niet te bevatten, niet te begrijpen was, die zich heel geheimzinnig voltrok.

Gunter Bork stond lachend op zijn tenen te wippen. "Nou, hoe voelt u zich? Is het niet net alsof je binnen in een brein zit?"

Karwenna probeerde nog steeds het schouwspel dat zich voor zijn ogen voltrok te begrijpen, in te delen, maar hij slaagde er niet in. Hij zag bijna geen mensen en degenen die hij zag stonden merkwaardig levenloos naast de machines, alsof ze slechts toeschouwers waren en zelf totaal onbelangrijk waren.

"Alles wordt elektronisch bestuurd," zei Gunter Bork, "net zoals in het zenuwstelsel van de hersenen. Zelfs een storing wordt automatisch doorgegeven. Ziet u dat lampje daar?"

Karwenna zag een rood lampje hangen, dat elke seconde aan en uit ging.

Een van de in grijze overalls geklede mannen maakte een paar gebaren met zijn hand en het lampje ging weer uit.

"Is het niet fascinerend?" vroeg Gunter Bork. "Ik loop vaak deze hal binnen alleen om te genieten van hetgeen ik hier zie. Dit te zien geeft me een gevoel van voldoening, je keert dan als nieuw naar je bureau terug - het lijkt wel alsof je opnieuw opgeladen bent."

Hij lachte weer, keek Karwenna strak aan en boog zijn hoofd iets naar voren alsof hij op die manier zijn blik indringender kon maken. Hij vermande zich. "Maar u zult het wel niet zo interessant vinden als ik, want uw belangstelling ligt op een heel ander terrein."

"Ja", mompelde Karwenna en liep met Gunter Bork terug naar het kantoorgedeelte van het bedrijf. Hij bracht een half uur door in de werkkamer van Gunter Borks oom, maar deed geen wezenlijke nieuwe indrukken op en liep tenslotte naar beneden naar de portier. Toen hij bij de portier aankwam, aarzelde Karwenna en liet zich toen via de huistelefoon met Erich Wenger doorverbinden.

"Kan ik even met u praten?" vroeg Karwenna, "wanneer hebt u tijd?"

Wenger aarzelde maar even.

"Om vier uur ben ik vrij."

"Dat schikt mij. Hebt u er bezwaar tegen naar het politiebureau te komen?"

"Nee," antwoordde Wenger, "moet ons gesprek vertrouwelijk blijven?"

"Ja, liever wel", antwoordde Karwenna.

★

Karwenna reed terug naar het bureau.

Opnieuw liet hij de beelden de revue passeren. Duidelijker dan ooit tevoren was hem deze keer opgevallen hoe abnormaal Gunter Bork zich gedroeg. De dingen die hij had opgemerkt, waren de onnatuurlijke toon waarop hij sprak, de ene keer klonk zijn stem zacht en het volgende moment luid. Hij stootte de woorden uit, had geen gevoel voor het belang van wat hij zei. Verder: zijn bewegingen. Zijn armen maakten een ronddraaidende beweging, die totaal zinloos was. Zijn vingers bewogen voortdurend.. Verder: zijn lach. Constant had hij die vage, vreemde lach op zijn gezicht. Zijn gezicht zag er het ene moment open uit en het volgende moment weer gesloten. Net een filmscherm, waarop verschillende films tegelijk werden geprojecteerd.

Karwenna haalde diep adem. Was Gunter Bork geestesziek?

Zoals hij daar in die fabriekshal stond met schitterende ogen en zei: Het lijkt wel alsof je in het binnenste van een brein zit. Storingen worden onmiddellijk doorgegeven, ziet u dat rode lampje daar?

Wel, dacht Karwenna, jouw storing toont zich in ieder geval niet door middel van een aan en uit flikkerend lampje.

Karwenna maakte een optelsommetje: Gunter Bork wist dat zijn nichtje gitaarles had. Hij wist ook waar. Hij kon de moord op Carola heel goed hebben gepleegd. En nu ook de moord op zijn oom.

Karwenna reed langzaam, hield het verkeer goed in de gaten, maar dacht toch ononderbroken na. Het motief? Tja, dat lag voor de hand: Gunter Bork wilde het bedrijf voor zich alleen hebben. Wilde de baas zijn, hij wilde de baas zijn over alles dat hij als het brein bestempelde.

Karwenna moest om zichzelf lachen, maar volgde dezelfde gedachtengang nogmaals: Een jongeman, die zich ziek voelt, zelf het vermoeden heeft dat hij niet normaal is, wil zelf de baas, de eigenaar worden van hetgeen hij als 'het brein' bestempelt. Had hij niet zelf gezegd dat hij af en toe naar de fabriekshal ging om daar staan te genieten van wat hij zag om dan vervolgens weer als het ware 'opgeladen' terug te keren naar zijn kantoor?

Langzaam, langzaam Karwenna, dacht hij. Wat je denkt is allemaal je eigen fantasie. Hij was bang om conclusies te trekken, die te fantastisch waren om waar te kunnen zijn, maar anderzijds had hij op deze wijze - door zijn fantasie de vrije loop te laten - de beste resultaten geboekt. De werkelijkheid zou uitwijzen wat niet en wat wel in het geheel paste.

Karwenna kwam bij het bureau aan in een nogal ambivalente stemming.

Henk kon wel zien in wat voor bui was. "Nou," zei Henk,

”Het ziet ernaar uit dat je in cirkeltjes ronddraait.”

”Ja, het lijkt wel alsof ik in een draaimolen zit.”

Karwenna was niet in staat zich op zijn gewone werk te concenteren. Hij hield zich lusteloos bezig met rapporten, verhoren, die andere gevallen betroffen. Hij had een bespreking met de Officier van Justitie, moest een persconferentie geven, die hem hevig aangreep.

Resultaten? Geen. Sporen? Geen. Nagenoeg geen aanwijzingen. Kon hij de journalisten iets over zijn gevoelens vertellen?

Hij was volkomen ontmoedigd toen hij bij zijn bureau terugkeerde. Maar hij had wel vaker last van deze depressieve buien. Dan speelde hij altijd met de gedachte zijn beroep op te geven.

Tenslotte viel zijn oog op de foto-albums. Hij nam ze voor zich.

Merkwaardigerwijs bleef de betovering, die de foto's van het jonge meisje steeds bij hem hadden opgeroepen, plotseling uit. Hij zag de foto's van een erg knap meisje in verschillende fases van haar leven, maar ze maakten hem niet langer onrustig.

Waarom niet?

Karwenna dacht er ernstig over na en haalde tenslotte de woorden van de verpleegster terug in zijn herinnering, die had gezegd: U, kommissaris, u bent ook niet helemaal normaal, geen mens is dat, ieder mens bestaat uit een aantal met elkaar in strijd zijnde elementen. Normaal bestaat niet.

Hij zat afwezig aan zijn bureau. Hij wist dat hij de neiging had zich met het slachtoffer te identificeren. Later begon hij zich dan met de dader te identificeren.

Ook behoorlijk geestesziek, dacht Karwenna. Maar, dacht hij, ik heb toch nog helemaal geen dader op het oog? Of beschouwde zijn onderbewustzijn Gunter Bork al als dader?

Kort daarna melde de portier dat Erich Wenger was gearriveerd.

Wenger kwam het kantoor binnen, keek om zich heen, ontdekte toen Karwenna's bureau temidden van vele anderen en ging erop af.

Karwenna zag de jongeman aankomen en dacht: Dat schijnt tenminste een normaal mens te zijn. De jongeman had een bepaalde manier van lopen, bewoog zich gelijkmatig en keek

Karwenna ernstig en onderzoekend aan.

Karwenna begroette hem, schudde zijn hand. Hij vond de jongeman opeens erg aardig. "Kom," besloot hij plotseling, "laten we ergens anders heengaan. We moeten niet op het bureau blijven. Bovendien zou een gesprek hier een formeel karakter hebben en dat kunnen we niet gebruiken."

"Ja, goed," zei Erich Wenger, "waar gaan we heen?"

Karwenna had plotseling zin om iets sterks te drinken.

"Laten we naar de Bayrischen Hof gaan", zei Karwenna en voor ze weggingen vertelde hij Henk snel waar hij heenging. Samen met Weger liep Karwenna de Ettstrasse uit in de richting van de Promenadeplatz.

Het was om die tijd erg rustig in de bar. De bar keek uit op de hal van het hotel, waar altijd mensen zaten te praten. Op die manier voelde je je nooit helemaal alleen.

Wenger keek Karwenna onderzoekend aan.

Karwenna wist niet goed hoe hij moest beginnen. Hij wilde niet gelijk met de deur in huis vallen en de jongeman over Gunter Bork ondervragen, die bovendien nog zijn chef was en naar het er uitzag zijn zwager zou worden.

"U komt uit Chili, geloof ik?" vroeg Karwenna.

"Ja," antwoordde de jongeman beleefd, "we komen uit Santiago." Hij zweeg even en voegde er toen aan toe: "Maar we hebben daar niet altijd gewoond. Mijn zus en ik zijn in Valdivia geboren. Valdivia is onze geboorteplaats."

"U spreekt goed Duits."

"We hebben thuis altijd Duits gesproken. We zijn tweetalig opgevoed."

"Ik weet bijna niets van Chili, ik weet alleen dat het een nogal langwerpig land is."

Erich Wenger lachte flauwtjes. "Valdivia is een mooie plaats, het ligt aan een baai, aan drie rivieren, de Valdivia, de Calle-Calle en de Rio Cruce. De Rio Valdivia is tamelijk breed, diepblauwe en grote zeeschepen konden tot aan de stad binnenvaren. De berghellingen rijzen uit het water op. Ze zijn bedekt met mirte. Zelfs de bomen dragen bloemen, ulomo of muermo, avellano."

"Wat hebt u daar gedaan? Hoe hebt u de kost verdiend?"

"We hadden een transportonderneming. Vrachtwagens, autobussen." het gezicht van de jongeman kreeg een meer gesloten uitdrukking, hij aarzelde met het antwoord, alsof het antwoord hem zwaar viel. Zijn handen lagen rustig op zijn knieën. Hij hield zijn hoofd rechtop. Je kon zijn slapen zien kloppen.

"In 1960 werd Valdivia door een aardbeving getroffen. De rivier verzandde, de scheepvaart kwam stil te liggen. We raakten toen eèn deel van ons werk kwijt. We konden ons in Valdivia niet langer handhaven en trokken naar Santiago om het daar opnieuw te proberen." De jongeman had nogal zacht gesproken, alsof het praten hem moeite kostte.

"Neemt u me niet kwalijk," zei Karwenna zacht, "er schiet me net iets te binnen dat ik slechts vaag heb gehoord..."

"Wat hebt u gehoord?"

"Dat uw ouders vermoord zijn."

"Ja, dat klopt."

Plotseling was de stem van de jongeman veranderd. Zijn stem klonk staalhard, had een metaalachtige klank.

Hij richtte zijn blik op Karwenna. Het was een scherpe, bijna koude blik, het leek wel alsof hij zijn gevoelens onderdrukte. "Dat is een jaar geleden gebeurd. Ik neem aan dat u op de hoogte bent van de huidige sitiuatie in Chili."

"Ja, ik heb er af en toe in de krant over gelezen. Maar wat er precies gaande is, zou ik niet kunnen zeggen."

"We hadden ons bedrijf opnieuw opgebouwd. Het liep erg goed. We hadden naam gemaakt."

De jongeman nam zijn whiskyglas in zijn slanke, gespierde hand, nam een slok en zette het weer neer.

Hij maakte resolute handbewegingen, dacht Karwenna. Hij is geen twijfelaar, hij weet wat hij wil en wat hij zegt.

"En in Chili is het niet goed naam te maken," ging Wenger verder, "iedere vorm van bekendheid in verband met zakelijk succes is gevaarlijk."

Karwenna begreep dat de jongeman uit vrije wil wilde vertellen wat er gebeurd was en hij onderbrak hem niet.

"Aan het verzet tegen de militaire junta is in Chili nooit een eind gekomen en heeft vertwijfelde vormen aangenomen, criminele vormen, die het land hebben geschokt. Guerrillastrijders hebben op een dag mijn ouders ontvoerd. Ze waren op weg naar een concert, een Duits concert, orgelmuziek, Haydn en Bach. Ze hadden er zich erg op verheugd. Maar op een kruising hebben Tupamaros hun auto tegengehouden, mijn ouders uit de auto getrokken en hen weggevoerd."

Wenger zweeg even. Hij was nog steeds even beleefd, zijn houding was nog precies hetzelfde als eerst.

Karwenna wist niet goed hoe hij zich gedragen moest.

Maar de jongeman wachtte niet op een reactie en vervolgde: "Na een paar dagen kwam een eis om losgeld. Mijn zus en ik hebben onmiddellijk gereageerd, zo snel mogelijk was, we hebben het bedrijf, dat zeer goed liep en grote winsten opleverde, verkocht, van de ene dag op de nadere en ver beneden de prijs, alleen om aan contant geld te komen. Ik heb zelf het geld overhandigd. Men heeft het in ontvangst genomen." Wenger zweeg plotseling, hield op met spreken alsof het hem ontbrak aan voldoende adem, kalmte en koelbloedigheid.

"Maar uw ouders-?"

"Die kwamen niet. Ze kwamen gewoon niet. Ze laten hun slachtoffers meestal 's nachts vrij. We hebben geen nacht geslapen, voor de huisdeur gewacht. Maar we wachtte tevergeefs."

Opnieuw zweeg de jongeman.

"Weet u, we hadden een erg goed gezin. Mijn vader was even vlijtig als huiselijk, hij was vlijtig, zonder geheel en al in zijn werk op te gaan. Mijn moeder was een vrouw, zoals je die niet vaak vindt. Net zo vlijtig als mijn vader, had de gave de dingen direct te zien, problemen te signaleren en was tegelijkertijd vervuld van liefde en begrip. Een rijke vrouw," zei Wenger plotseling en benadrukte wat hij zei door een beweging met zijn hoofd, "ze was rijk in de zin, dat God haar alles had meegegeven wat hij geeft aan hen van wie hij houdt."

Karwenna keek de jongeman ernstig aan. "Hebt u iets over het lot van uw ouders gehoord?"

"Ja, ze werden in de Mapochorivier gevonden, gestikt in het rivierslik. Ze hadden hen er levend ingegooid. Men heeft het slik in hun maag gevonden. Ze waren al dood toen ik het losgeld overhandigde."

Een onwerkelijke situatie, dacht Karwenna. Een verzorgde, geluidgedempte hotelhal. Kelners met witte jasjes aan, die doelbewust rondliepen. Een jongeman, die zijn handen in zijn schoot had liggen, rechtop zat en zijn stem in bedwang hield.

Karwenna voelde zijn zintuigen op volle toeren draaien. Zijn zenuwen waren ontvankelijk voor iedere indruk. Hij wist hoe afschuwelijk lijken, die men uit het water en modder had gehaald, er uitzagen, wist dat niets ter wereld zo'n verschrikkelijke indruk maakte. Hij keek op en kon niet nalaten de vraag te stellen: "Hebt u hen gezien?"

"Ja, ik heb hen gezien." De jongeman verhief zijn stem niet, maar zijn stem had wel weer die metaalachtige klank gekregen toen hij zei: "Ik moest hen identificeren."

"Ik kan me voorstellen hoe u zich gevoeld moet hebben."

"Ik ben ervan overtuigd dat u zich dat helemaal niet kunt voorstellen", zei de jongeman heel rustig, bijna eenvoudig en zonder aarzelen.

"De moordenaars-?"

"Die zijn nooit gevonden."

"Maar heeft de politie iets in die richting ondernomen?"

De jongeman lachte een beetje, maar alleen met zijn mond, zijn ogen stonden koel, bijna koud en zonder enige uitdrukking. "De politie en de soldaten kunnen daar niet veel uitrichten. Af en toe omsingelen ze hele stukken straat, doorzoeken huizen en wachten totdat sommige mensen er als hazen vandoor gaan. En ze worden ook als hazen neergeslagen." Hij schudde zijn hoofd. "Nee, de zaak is nooit opgelost."

"Uw vermogen..."

"Is verloren gegaan."

"Maar de verkoop van het bedrijf werd onder druk van de omstandigheden afgesloten..."

"Ik heb de koper niet verteld waarom ik het bedrijf wilde verkopen. We hadden niet alleen onze ouders verloren, maar ook alles wat we bezaten. We kwamen met erg weinig geld terug in Duitsland."

Hij keek op.

"Nu weet u het een en ander over mij, kommissaris. Maar dat was vast en zeker niet wat u van mij wilde weten."

”Nee, ik wilde met u over Gunter Bork praten.”

”O”, zei de jongeman, ging rechtop in zijn fauteuil zitten, richtte zijn bovenlichaam op en toonde de kelner zijn lege glas.

De kelner kwam.

”Drinken we nog eens hetzelfde?” vroeg Wenger.

”Ja”, knikte Karwenna en gaf zijn glas aan de kelner.

Karwenna voelde zich in een toestand tussen slapen en wakker zijn. En het was in deze toestand dat hij zijn vragen het liefst stelde, want het stelde hem in staat op een bijzondere wijze naar antwoorden te luisteren. Waarom was de jongeman rechtop in zijn fauteuil gaan zitten? Waarom wilde hij nog een glas whisky hebben? Was hij soms ergens op voorbereid? Had hij er een vermoeden van welke vragen hem gesteld zouden worden?

Karwenna zweeg een tijdje, zag de verwachtingsvolle blik in Wengers ogen. Wenger hield zijn vingers stil, ze hingen in de lucht, gespreid, roerloos.

”Hoe lang kent u Gunter Bork?”

”Ik ken hem drie maanden.”

”En uw zuster kent hem even lang als u?”

”Ja.”

”Klopt het dat ze gaan trouwen?”

”Ja, over drie weken.”

”Over drie weken?”

”Ze hebben al aangetekend.”

Aarzelend vroeg Karwenna: ”Bent u het met dat huwelijk eens?”

”Ja, waarom niet?” antwoordde de jongeman zonder te aarzelen. Hij vervolgde: ”We zullen nooit terug naar Chili gaan.” Hij aarzelde, verbeterde zichzelf: ”Ik zal alleen nog een keer teruggaan om de stoffelijke overschotten van mijn ouders op te halen. Dat is alles wat ik nog met Chili te maken wil hebben.”

”Mag u uw zwager graag?”

”Ja, heel graag. Het is een erg gevoelige man. Mijn zus zal het goed bij hem hebben.”

”Kent u zijn vader?”

”Ja.”

Karwenna merkte dat de jongeman een beetje terughoudend was, alsof hij besloten had zo min mogelijk te zeggen.

”Zijn vader is ziek.”
”Ja, dat weet ik.”
De kelner bracht de whisky. Karwenna besteedde geen aandacht aan zijn glas, maar de jongeman pakte het direct aan. Zijn vingers klemden zich vastbesloten om het glas heen.
”Het gaat om een geestesziekte. Weet u dat?”
”Ja, daarvan ben ik op de hoogte.”
”Wat is het dan precies voor ziekte?”
”Ik weet het niet precies. Ik kan u alleen maar vertellen wat ik af en toe eens heb opgevangen van Gunter Bork en van de verpleegster.”
”Wat zeggen zij? Wat is er volgens hen aan de hand?”
”Ik geloof dat er sprake is van een spasmodische amnesie met als gevolg dat electrische prikkels, die het geheugen regelen, af en toe worden uitgeschakeld.” De jongeman haalde zijn schouders op. ”Ongeveer zo wordt de toestand van de oude man verklaard. Ik zeg het zonder aanspraak op nauwkeurigheid te maken. Ik heb ook een keer het woord epilepsie gehoord.”
”Hoe lang heeft de oude meneer Bork deze ziekte al?”
”Ik geloof zo'n jaar of tien. Het moet door de jaren heen erger zijn geworden, want vroeger werkte hij ook in het bedrijf.”
”En dat doet hij nu al lang niet meer?”
”Nee, dat zou onmogelijk zijn.”
Karwenna zweeg even alsof hij daarmee als het ware het belang van de volgende vraag wilde onderstrepen.
”Is Gunter Bork volgens u gezond?”
De jongeman antwoordde - tegen zijn gewoonte in - niet direct, zette het whiskyglas aan zijn lippen, nam een slok en probeerde pas toen uitdrukking te geven aan een zekere verbazing.”Wat een vraag! Is er een reden voor deze vraag?”
”Welnu-” meende Karwenna, ”u wilt uw zuster met Gunter Bork laten trouwen, wiens vader een geestesziekte heeft. Hebt u daarover nog nooit nagedacht?”
”Hoezo?” vroeg de jongeman met een volkomen uitdrukkingloze stem.
”Hebt u er nooit aan gedacht, dat de ziekte erfelijk kan zijn?”
”O, bedoelt u dat?”
”Maakt u zich daar geen zorgen over?”

”Nee. ik moet toegeven, dat die gedachte nooit bij me is opgekomen.”

Karwenna zat met gebogen hoofd. Hij haalde diep adem. Je liegt, dacht hij, ik had een goede indruk van je, maar nu begin je te liegen. Tegelijkertijd vroeg Karwenna zich verwonderd af: Waarom doet hij dat? Hij had toch gewoon kunnen zeggen: Ja, daaraan heb ik ook wel eens gedacht. Maar ik heb een arts geraadpleegd en die heeft me gerustgesteld. Zoiets had hij kunnen zeggen.

Karwenna keek op.

De jongeman zat rechtop, leunde niet achterover in zijn fauteuil. Aha, dacht Karwenna, zijn hele lichaam is gespannen.

”Maar het is toch heel m probeer je die gedachte uit de weg te gaan?

”Ja,” zei Karwenna luid, ”een bepaalde aanleg kan erfelijk zijn.”

”Neem me niet kwalijk”, zei de jongeman koel, ”probeert u het ergens op aan te sturen?”

”Nee”, lachte Karwenna, hoofdschuddend, ”nee, ik wil u niets aanpraten, geen vrees bij u opwekken.” Bij zichzelf dacht hij: Is dat nou een jongeman die van zijn zus houdt, die zijn ouders heeft verloren? Die voor zijn zus tegelijk vader en moeder is? En zou hij nooit aan zoiets hebben gedacht?

”Ik dacht alleen maar ,” vervolgde hij, ”dat u me zou kunnen helpen Gunter Bork te beoordelen.”

”Waarom wilt u hem beoordelen? Waar denkt u aan?” De jongeman werd nu wat levendiger, scheen oprecht geïnteresseerd te zijn en richtte een gloeiende blik op Karwenna.

Ja, ja, dacht Karwenna, nu kom je toch een beetje uit je schulp.

Luid zei hij: ”Ik vraag me af of Gunter Bork wel gezond is.” De jongeman leunde achterover in zijn stoel. ”Maar, maar,” zei hij, ”Gunter is volkomen gezond hebt u daar dan twijfels over? En zo ja, om welke redenen?”

”Hij komt niet natuurlijk op mij over.”

”Wat verstaat u daaronder?”

”Hij is gespannen, zijn bewegingen zijn niet natuurlijk, zijn stem is dan te luid, dan te zacht, hij slaagt er nooit in op de juiste toon te spreken, hij reageert of op een overdreven manier of helemaal niet."

Wenger boog helemaal naar voren. "Bent u een deskundige op dat gebied? Hebt u medicijnen gestudeerd?"

"Nee, maar ik neem al jarenlang verhoren af bij mensen en daarbij heb ik heel wat geleerd over gebarentaal, mimiek."

"U roept zich op uw ervaringen in een zaak, die zelfs voor doktoren, ervaren doktoren, voor specialisten, moeilijk is?"

"Ja," knikte Karwenna ernstig, "dat doe ik inderdaad."

"Waarom doet u dat?" vroeg Wenger.

Hij werd onmiskenbaar onrustig. Hij bewoog, ging verzitten en schoof heen en weer op zijn stoel.

"Ik bedoel: waar denkt u dan aan?"

"Hm", antwoordde Karwenna. "Als Gunter Bork ziek is, dan moet ik me afvragen hoe ernstig ziek hij is en", hij verhief zijn stem, "of hij niet in aanmerking komt als de moordenaar van zijn nicht en oom."

De jongeman scheen in de verleiding te komen op te staan, hij kwam al half overeind, bleef gebukt staan alsof hij om de een of andere reden niet verder omhoog kon komen en ging toen weer zitten. Karwenna kon hem horen slikken.

Karwenna bekeek hem met half gesloten ogen.

Wenger haalde adem. "Een krankzinnig idee," zei hij hard, "hoe bent u ooit op dat belachelijke idee gekomen? Het is gewoon uitgesloten." Hij herhaalde het woord verschillende malen, schudde zijn hoofd en wiegde zijn bovenlichaam heen en weer. "Dat is een absurd idee, dat u zo snel mogelijk moet vergeten. Gunter Bork is geen moordenaar, dat is hij zonder meer niet."

Karwenna keek een beetje raar op van deze plechtige, herhaalde verzekeringen. Hij probeerde bepaalde ondertoontjes in zijn stem te horen. De jongeman scheen zich af te vragen wat hij in vredesnaam kon doen Karwenna deze gedachte uit zijn hoofd te praten. Hij scheen in de verleiding te komen te lachen, alsof hij zijn gebrek aan begrip het beste op die manier kon laten blijken.

"U zit helemaal op een dood spoor. Gunter Bork mag dan eigenaardigheden hebben, die u niet aanstaan, zoals zijn lach en de manier waarop hij op zijn tenen wipt," hij begon nu hard te lachen," maar wat zijn dat voor argumenten? Wat een armzalige argumenten..."

Karwenna zat met gebogen hoofd naar de stem van de jongeman te luisteren.

O, dacht Karwenna, hij spant zich wel ontzettend in. Waarom? Waarom toch? De jongeman scheen te merken, dat hij misschien al teveel had gezegd, hield zijn woorden binnen, probeerde weer op adem te komen, weer kalm te worden. Hij leunde achterover in zijn stoel.

Er viel een lange stilte.

Karwenna keek de jongeman aan, die zijn blik beantwoordde. Zo bleven ze elkaar een tijdje aanstaren.

Tijdens dat stilzwijgen veranderde opeens van de ene seconde op de andere de gehele sfeer van hun samenzijn.

Karwenna had echt alleen maar wat informatie over Gunter Bork willen inwinnen bij iemand die betrouwbaar was en die hem kende.

Daar was nu verandering in gekomen.

Hij bleef Wenger maar aankijken en door een bepaalde samenloop van omstandigheden - die onder dwang tot stand was gekomen - voelde hij zich opeens met deze man verbonden, net zoals twee tegenstelde polen tot elkaar aangetrokken worden.

Karwenna nam een sigaret uit zijn zak. "Wilt u er ook een?"

"Nee, dank u."

Hij verzet zich, dacht Karwenna. Hij barst van de weerstand. Hij stak zijn sigaret aan. Hij wilde tijd winnen, zodat hij over een paar dingen zou kunnen nadenken: Wenger ontkende dat hij ooit bepaalde gedachten had gehad over de psychische gestoordheid van Borks vader. Klinkklare leugens. Hij reageerde op overdreven gevoelige wijze op de verdachtmaking die Karwenna aan het adres van Gunter Bork had geuit.

Er scheen geen enkele verklaring te zijn voor deze vreemde reactie.

Karwenna dacht ingespannen na.

Hij bemerkte dat Wenger hem daarbij zat op te nemen. Het leek wel alsof hij in Karwenna's hoofd wilde kruipen, zodat hij te weten kon komen wat hij dacht. Hij had bijna alle contrôle over de spieren van zijn gezicht verloren, zijn onderlip hing slap naar beneden.

Karwenna keek op. "En u wilt nooit meer terug naar Chili?"

De plotselinge gedachtensprong deed Wenger bijna inkrimpen. "Nee", riep hij hees.

"Maar het is toch veel eerder uw vaderland dan Duitsland? Bent u in uw jeugd soms ook hier geweest?"

"Twee keer. Een keer toen ik acht was, de tweede keer was ik zestien."

"Wat doen de mensen in Chili wanneer ze op vakantie zijn?"

"Ze zeilen, skieën, beklimmen bergen, zwemmen in zee."

"Had u een boot?"

"Ja. We hadden alles", zei de jongeman, wiens stem nog steeds niet de oude vlotte toon had teruggekregen. "We hadden ook een zeilboot."

"Gebruikte u die soms ook wel eens om te vissen?"

"Ja, ook om mee te vissen. Mijn vader had veel verstand van zeilen."

"Hebt u een foto van uw ouders bij u?"

De jongeman scheen opnieuw iedere beweging eerst nauwkeurig te overwegen alsof hij niet goed wist wat hij doen of zeggen moest. Toen stak hij zijn hand in zijn zak en haalde er een portefeuille uit, die hij zwijgend opensloeg.

Hij toonde Karwenna een foto.

Op een terras stonden een man en vrouw, oudere mensen, die lachend de lens van de camera inkeken. De man was flink gebouwd. Hij lachte op een hartelijke, mannelijke manier, waarbij zijn tanden bloot kwamen. De man had zijn arm om de schouders van de vrouw geslagen en haar op het moment dat de foto werd genomen, naar zich toegetrokken, waarop ze blijkbaar niet had gerekend, want ze stond slechts op één been en lachte verschrikt. De vrouw was slank en had een klein hoofd met grijs haar.

Karwenna zat weliswaar naar de foto te kijken, maar zijn aandacht was in werkelijkheid op de jongeman gericht, wiens opwinding hij bijna lichamelijk voelde, alsof hij nog steeds door een magnetische kracht met hem was verbonden.

Karwenna gaf hem de foto terug.
De jongeman borg hem op, klapte zijn portefeuille dicht en stak hem in zijn jaszak.
Lieve God, dacht Karwenna, het moet verschrikkelijk geweest zijn om zulke ouders met modder in hun longen terug te vinden, aangevreten door maden, opgezwollen, het grauw gekleurde, stinkende vlees.
Jongen, dacht Karwenna, hoe heb je het uitgehouden?
Het was nog steeds rustig in de bar.
De barkeeper stond in de lucht te staren. Uit de hal, waar je op uitkeek, klonk zacht geroezemoes. Mensen begroetten elkaar, er werden aktentassen neergelegd, vrouwen kwamen binnen met tassen vol inkopen. Alles zag er zo verzorgd uit, zo ontzettend verzorgd.
En deze jongen hier had zijn ouders zien veranderen in stinkend vlees.
Wenger hield zijn blik de hele tijd op Karwenna gericht. Het leek wel alsof hij afwachtte totdat de man tegenover hem zijn gedachten op een rijtje had gezet.
Zijn ouders verloren, zijn bezittingen verloren, iedere binding verloren, dacht Karwenna.
Welnu, dacht Karwenna vervolgens, Wenger had nu de kans om alles terug te winnen, mensen, vrienden, verwanten, bezittingen. Bezittingen?
Langzaam schoof Karwenna naar achteren op zijn stoel. Zijn blik dwaalde af en en hij bleef zo stil zitten dat het wel leek alsof hij half sliep. Hij keek de hal in, zag het komen en gaan van gasten, hoorde het gekletter van kopjes, theegerei.
Karwenna bemerkte dat zijn bewegingen trager werden. Hij zag zichzelf als het ware daar zitten, terwijl hij zijn hand uitstak om zijn glas whisky te pakken.
"Hebt u nog meer foto's?" vroeg Karwenna.
"Nee."
"Maar ik dacht dat ik nog meer foto's in uw portefeuille zag zitten."
De jongeman antwoordde niet, maar haalde opnieuw zijn portefeuille tevoorschijn. Zwijgend toonde hij een tweede foto. "Bedoelt u deze?"

Karwenna nam de foto van hem aan. Het was een foto van een rivier, die tussen krotwoningen doorstroomde. De huizen waren nauwelijks bepleisterd, de verf was afgebladderd en de goten hingen half los van de muren. De muren waren gedeeltelijk beplakt met aanplakbiljetten. Modderig water, dat een met afval bedekte oever overspoelde: planken, zakken, papier, vuilnis.

"Daar werden ze gevonden", zei Wenger, terwijl hij naar de foto staarde. Ook zijn bewegingen waren trager geworden, hij scheen zijn blik niet van de foto los te kunnen maken.

Langzaam pakte hij hem van Karwenna aan.

"En deze foto draagt u bij zich?" vroeg Karwenna. Hij stond op, bleef bijna een minuut naast zijn stoel staan.

"Wacht u even, ik moet even opbellen."

Erich Wenger antwoordde niet, hij borg de foto op en schoof de portefeuille weer in zijn borstzak.

Karwenna verliet de bar, liep de hal door naar de receptie. Hij deed de deur van een telefooncel open.

Hij leunde tegen de wand en staarde naar het apparaat. Een ogenblik lang genoot hij het gevoel bevrijd te zijn van de de dwang, van de noodzaak zich te moeten beheersen. Hij sloeg krachtig met zijn vuist tegen de wand en haalde diep adem. Toen draaide hij het nummer van het hoofdbureau en liet zich doorverbinden met Henk.

"Waar ben je?" vroeg Henk.

Karwenna vertelde het hem, zei dat hij met Wenger in de bar van de Bayrischen Hof zat.

"Hoezo? Wat doe je daar?"

Karwenna aarzelde en Henk begreep plotseling dat Karwenna in een vreemde stemming verkeerde.

"Is er soms iets mis?" vroeg Henk bezorgd.

"Henk," zei Karwenna, "Ursula Wenger zal nu wel thuis zijn. Ga erheen en arresteer haar."

★

Karwenna hoorde dat Henk zijn adem inhield. "Wat, wat?" stamelde hij, "wat moet ik doen? Ursula Wenger arresteren? Maar moet je eens luisteren, ik moet haar toch vertellen waarom?"

"Zeg niets tegen haar. Laat haar maar in het onzekere, maar ze moet met jou naar de woning van haar broer rijden. Heb je het adres?"

"Ja, dat heb ik..." Henk kon zijn verbazing niet verbergen.

"Je gaat met haar naar de kamer van Wenger en doorzoekt deze..."

"Hé!" riep Henk nogmaals, deze keer bijzonder fel, "wat is er aan de hand? Zeg eens wat er aan de hand is. Waar moet ik naar zoeken?"

"Naar een pistool, kaliber negen millimeter..."

En weer hoorde Karwenna Henk naar adem snakken. "Naar een pistool ? Negen millimeter?"

"En hoor eens, Henk, verlies dat meisje geen moment uit het oog. Houd haar in de gaten. Als je ziet dat ze helemaal in de war is, bang of vertwijfeld is en geen raad meer met haar houding weet - vertel haar dan dat haar broer een moordenaar is." Dit was de eerste keer dat Karwenna het vermoeden uitte, dat hij tot dan toe met man en macht had proberen te ontkennen. Nu was het zijn stem die bijna opgewonden klonk en herhaalde: "Een moordenaar, heb je me begrepen, Henk, een moordenaar."

"Hoe kom je op dat idee?" vroeg Henk en ging onmiddellijk opgewonden verder: "Weet je wel wat je zegt, heb je redenen om te vermoeden dat het Wenger was-?" De toon van zijn stem ging aan het eind van de zin omhoog.

"Doe wat ik zeg," riep Karwenna, "en bel me hier op. Ik wacht op je telefoontje." Hij legde de hoorn op de haak.

Karwenna bemerkte plotseling, dat zijn gezicht en zijn gehele lichaam gloeiden. Het zweet brak hem uit. Hij bleef nog een tijd in de telefooncel staan, wiste het zweet van zijn gezicht.

Hij voelde zich plotseling afgemat, het leek alsof zijn krachten hem opeens hadden verlaten. Zijn knieën knikten, hij moest even tegen de wand van de telefooncel leunen, bleef zo even staan voordat hij weer de hal inliep.

Daar bleef hij weer staan om nog eenmaal zijn gedachten rustig op een rijtje te kunnen zetten.

Wenger had in Chili op een afschuwelijke manier zijn ouders verloren. Een gebeurtenis, die hij niet had kunnen verwerken. De zekeringen, die een normaal mens heeft en die hem in staat stellen heen te komen over erge ervaringen en gebeurtenissen, waren doorgebrand. Wenger had deze gebeurtenis niet kunnen verwerken. Hij reageerde op een moord - door zelf een moord te plegen. Hij gaf terug, wat hij zelf had moeten incasseren. Hij wilde van het leven terugkrijgen wat hij had verloren. Macht en aanzien.

Wacht eens even, wacht eens even, dacht Karwenna, is dat soms alleen maar een speculatie? Is mijn fantasie soms weer op hol geslagen?

Nogmaals: Wenger had een afschuwelijke ervaring gehad. Hij had zijn ouders ergens in het slik van een rivier gevonden, opgezwollen, half vergaan. Vanaf dat moment werd hij een ander mens, een mens, die meent een les geleerd te hebben: De wereld wordt met geweld geregeert. Wat je hebben wilt moet je nemen, desnoods met geweld.

Karwenna stond nog steeds op dezelfde plaats. De mensen van de receptie begonnen al naar hem te kijken, want ze vonden het een beetje vreemd een man als aan de grond genageld bij een van de telefooncellen te zien staan.

Karwenna zag het helemaal voor zich: Wenger, die zijn zus al met Gunter Bork getrouwd ziet.

Dat was toch voldoende, zei Karwenna tot zichzelf en fronste zijn wenkbrauwen. Was dat niet voldoende voor hem? Waarom schoot hij Carola en haar vader dood? Hij had hen uitgeschakeld, omdat zij hem in de weg stonden bij het verwerven van het totale vermogen.

Man, man, dacht Karwenna, ik ben krankzinnig, dit gaat te ver, ik draaf door. Karwenna, je moet je beroep maar opgeven.

Maar toch bleef hij daar maar staan. Hij slaagde er niet in zijn vermoedens te verdringen. En ook dat gloeiende gevoel verliet hem maar niet. Hij had het gevoel alsof zijn gezicht in brand stond, alsof hij een kop als vuur had.

Hij bewoog zich traag, zette de ene voet voor de andere. Hij voelde zich slap worden en hij had moeite zich evenwicht te houden.

Hij liep langzaam in de richting van de bar, keek recht voor zich uit en zag Wenger in zijn fauteuil zitten.

Hij zat daar heel rustig, met zijn rug naar Karwenna gekeerd. Was deze man een moordenaar?

Karwenna vertrok zijn gezicht, snakte naar adem alsof hij hartklachten had.

Hij ging weer zitten.

Wenger keek hem onderzoekend aan.

Weer zaten ze tegenover elkaar, alsof die bijzondere band tussen hen weer hersteld was, waaruit geen van beiden zich los kon maken.

"En, hebt u getelefoneerd?"

"Ja", knikte Karwenna.

"Hebt u nog meer vragen? Ik zou graag gaan als u verder geen vragen meer hebt."

"Nee", zei Karwenna.

"Wat bedoelt u met 'nee'?"

"Blijft u alstublieft nog even."

De jongeman zat er heel rustig bij, zijn gezicht had een grauwe kleur en er viel geen enkele emotie op af te lezen.

De stilte was nauwelijks te verdragen.

Karwenna voelde zich uitgeblust, bijna hulpeloos. Er schoten hem geen vragen te binnen.

Wenger deed net alsof hij de situatie heel gewoon vond. Hij reageerde eenvoudig niet.

Zo verliep minuut na minuut en de situatie werd steeds pijnlijker.

Jongen, dacht Karwenna, het feit dat je niets zegt, niets doet, wijst erop dat je een slecht geweten hebt. Je accepteert deze vreemde situatie.

"Nog een whisky?" vroeg Karwenna, die de stilte niet langer kon verdragen.

"Nee", Wenger schudde zijn hoofd.

Karwenna boog zich voorover, liet zijn handen tussen zijn benen hangen, zat met opgetrokken schouders en een bijna gekromde rug, zodat het leek alsof hij zichzelf aan het inmetselen was.

Zachtjes zei Wenger: "Waar wacht u op?"

"Wij wachten", bracht Karwenna er met moeite uit. Hij voelde zich steeds slapper, vermoeider worden. Het leek wel alsof zijn gedachten geen enkel houvast meer hadden, zoals draaiende wielen over een modderige bodem gleden. Ze namen geen vaste vorm aan.

Karwenna had nog nooit eerder zo'n dieptepunt bereikt.

Hij zei tot zichzelf: Maak er een eind aan. Je hebt een gedachte gehad, die te fantastisch was om waar te kunnen zijn, het blijft een fantasie, een produkt van je fantasie, een foute gevolgtrekking.

Het enige wat hem uiteindelijk tot de werkelijkheid deed terugkeren was de onnatuurlijke kalmte waarmee de jongeman in zijn fauteuil zat.

"Zegt u het maar", fluisterde Wenger tenslotte.

"Ik zal het u zeggen," riep Karwenna plotseling spontaan uit en het leek wel alsof zijn stem erdoor ontladen werd, alsof hij explodeerde. "Ik denk dat u de moordenaar van Carola Bork en haar vader bent. Ik geloof dat u hen beiden om egoïstische redenen hebt gedood om in het bezit te komen van hun vermogen - om hun vermogen helemaal voor u alleen te hebben - want u weet dat ook Gunter Bork ziek is, dat zijn ziekte voortschrijdt en dat hem spoedig alle zeggenschap ontnomen zal worden, die dan bij uw zuster zal komen te liggen - en natuurlijk bij u. Dan hebt u beiden, u en uw zuster, het voor elkaar. Jullie hebben wel niet meegeholpen het onrecht in de wereld te bestrijden, maar jullie zouden in ieder geval weer in die positie verkeren, waar jullie recht op menen te hebben."

★

Karwenna haalde diep adem. Mijn God, dacht hij, ben ik krankzinnig geworden? Ik zeg iets, dat ik niet kan bewijzen. Ik zal het kunnen begrijpen wanneer hij begint te lachen, wanneer hij opstaat en mij een idioot noemt. En dat ben ik ook, ik ben krankzinnig.

Maar de jongeman zei niets, ging zelfs niet verzitten.

Karwenna keek op.

De jongeman had nog steeds een enigszins verstrooide uitdrukking op zijn gezicht. Hij spreidde zijn vingers alsof hij daarmee wilde zeggen: Man, wat houdt u er vreemde meningen op na.

Het bleef stil.

Karwenna riep de kelner, betaalde de rekening. Toen de kelner van het tafeltje wegliep, zei Karwenna: "Neemt u mij niet kwalijk."

De jongeman zei nog steeds niets en dat verstrooide lachje verdween maar niet van zijn gezicht.

"U hebt het gehoord," zei Karwenna toonloos, "ik heb u beschuldigd. Ik heb u plotseling, in een spontane ingeving, aangezien voor iemand die in staat is moorden te begaan. Bijzonder gemene, achterbakse moorden."

Hij zei nogmaals, maar nu zachter: "Neemt u het mij niet kwalijk. Ik heb geen bewijs, alleen een..."

"Een ingeving, zei u", mompelde de jongeman.

"Ja, dat u door de dood van uw ouders volkomen ontspoord bent geraakt. Het spijt me dat ik een verdachtmaking heb geuit, die ik niet kan motiveren. Dat is voor een politieman werkelijk iets onvergeeflijks."

"Als ik me ervoor beklaag", fluisterde de jongeman.

"Dan zult u mij in grote moeilijkheden brengen."

"Maar u hebt toch uw verontschuldigingen aangeboden."

"Ja, inderdaad. Voor het feit dat ik niets kan bewijzen."

Toen spreidde Karwenna zijn handen uit en zei: "Gaat u maar. Ik wacht nog op een telefoontje."

De jongeman stond op, aarzelde. Het was alsof hij zich niet los kon maken uit die bijzondere band, die er meer dan een uur tussen hen had bestaan.

Hij keek Karwenna besluiteloos aan, draaide zich toen zwijgend om en ging naar buiten.

Hm, dacht Karwenna, je hebt je vandaag bepaald niet als een expert in de criminologie gedragen.

Hij stond op. Hij voelde zich uitgeput, het leek wel alsof hij geen kracht meer in zijn armen en benen had. Hij liep de hal in en nam een andere weg dan Wenger om hem niet nogmaals tegen te moeten komen.

Hij kwam de chasseur tegen, die een blad in zijn hand hield. Telefoon voor de heer Karwenna.

Karwenna melde zich en liet zich naar de telefoon leiden.

"Henk-?" vroeg hij, "waar bel je vandaan?"

"Ursula was niet bij Bork. Ze is uit kantoor direct naar haar broers kamer gereden."

"Ja en-?" mompelde Karwenna.

"Ja, moet je eens luisteren," zei Henk bezorgd, "ik heb niets bijzonders kunnen ontdekken. Het jonge meisje was geheel ondersteboven van wat ik haar vertelde. Ze heeft me direct toegestaan de kamer van haar broer te doorzoeken. Daar was ik binnen vijf minuten mee klaar."

"Ik weet het," mompelde Karwenna, "ik kan je niet verklaren wat er met mij aan de hand is. Ik -ik heb mijn verontschuldigingen al aangeboden." Het spijt me dat ik je in een onplezierige situatie heb gebracht."

"Je voelt je geloof ik niet zo best, hè? Ben je soms ziek?"

"Misschien wel. Ik rijd nu naar het bureau."

"Goed, dan zien we elkaar daar."

Karwenna hing op. Man, dacht hij, ik geef het op. Ik ben gewoon blind geworden. Hij ergerde zich plotseling: Waarom gaven ze hem verdorie zo weinig vakantie?

Hij liep naar de uitgang van het hotel en zag toen een oploop van mensen bij de deur. Enkele leden van het hotelpersoneel gingen door de draaideur naar buiten, anderen kwamen terug naar binnen.

De portier riep: "Politie! En een dokter!"

"Wat is er gebeurd?" vroeg iemand.

Karwenna baande zich een weg door de menigte naar buiten. Enkele mensen stonden rond een taxi, die met geopende deuren voor het hotel stond.

”Recherche”, zei Karwenna resoluut, terwijl hij naar de taxi toe liep.

In de taxi zat Erich Wenger. Hij had zich door zijn mond geschoten. De bank van de taxi was met bloed bespat. Het bloed glinsterde glazig, rood, sijpelde als een soort lak naar beneden.

Zijn gezicht zag er merkwaardig ongeschonden uit. Karwenna kreeg de indruk dat er een onvoorstelbare moeheid van het gezicht afstraalde, alsof er opeens een enorme last was weggevallen en er uitputting voor in plaats was gekomen, die op het punt stond over te gaan in de rust van de absolute dood.

Precies zo voelde Karwenna zich. Het was alsof er een enorme last van zijn schouders was gevallen, die plaats maakte voor een gevoel van uitputting.

Maar uit deze uitputting putte hij nieuwe kracht.

De Kommissaris

KARWENNA

Pocket Nr. 6

Karwenna en de musici

Het slachtoffer was een procuratiehouder van de firma Potter die vele restaurants exploiteert.
Het is geen gemakkelijke zaak voor kommissaris Karwenna, want er zijn vele verdachten. Heeft de moordenaar de verkeerde vermoord? De chef van de firma, Ewald Potter, heeft gezworen vijanden, zoals bijvoorbeeld de jonge musici in een van zijn bedrijven. Zij hebben een zeer hechte band en de een geeft de ander een alibi. Karwenna moet eerst de popwereld leren kennen én hij moet veel leren incasseren, voor hij het motief van de moord kan achterhalen. Maar dan is het al bijna te laat...